Griechische Mythen

Lucilla Burn

Griechische Mythen

Eine Einführung

Aus dem Englischen übersetzt
von Ingrid Rein

Mit 51 Abbildungen
und 1 Karte

Reclam

Titel der englischen Originalausgabe:
Greek Myths. London: British Museum Press, 1990. (The Legendary Past.)

MIX
Papier aus verantwortungsvollen Quellen
FSC® C125418
FSC
www.fsc.org

RECLAM TASCHENBUCH Nr. 20371

Umschlaggestaltung: Anja Grimm Gestaltung, Hamburg
Umschlagabbildung: Europa auf dem Stier auf einer apulischen rotfigurigen Schale, um 340–320 v. Chr. Kunsthistorisches Museum, Wien
(© akg-images / Erich Lessing)
Gesamtherstellung: Reclam, Ditzingen. Printed in Germany 2016
RECLAM ist eine eingetragene Marke der
Philipp Reclam jun. GmbH & Co. KG, Stuttgart
ISBN 978-3-15-020371-2

www.reclam.de

Inhalt

Vorbemerkung 7
Einleitung *11*

Die Arbeiten des Herakles *27*
Theseus von Athen *43*
Der Trojanische Krieg *53*
Die Geschichte des Odysseus *83*
Iason, Medea und das Goldene Vlies *115*
Perseus und Medusa *125*
Ödipus und der thebanische Sagenkreis *131*
Das schöpferische Erbe *145*

Literaturhinweise *155*
Register *157*

Vorbemerkung

Es ist unmöglich, die griechische Mythologie in ihrer Gesamtheit in einem Buch dieses Umfangs zu berücksichtigen. Die hier besprochenen Mythen stellen natürlich eine subjektive Auswahl dar, doch befinden sich darunter einige der wichtigsten und interessantesten; wer mehr erfahren möchte, findet Literaturhinweise auf S. 155. Es mag der Eindruck entstehen, die Verweise auf antike Quellen seien ungleichmäßig: Wo es nützlich und angemessen erschien, sind wir den alten Quellen eng und ausführlich gefolgt, in den Fällen allerdings, wo die Quellen sehr zahlreich, widersprüchlich, spät oder von geringem eigenem Interesse sind, erschien es nicht wünschenswert, durch häufige Verweise auf Texte von der eigentlichen Geschichte abzulenken. Dasselbe Anliegen, nämlich die Mythen so verständlich wie möglich zu vermitteln, ist auch der Grund für die offenkundigen Abweichungen bei der Schreibung griechischer Namen. In der Regel wurden die griechischen Formen bevorzugt, wo indes eine getreue Transkription befremdend oder mißtönend hätte wirken können, wurden die vertrauteren ›deutschen‹ Formen gewählt, so daß Ödipus, Circe und Zyklopen die ›griechischen‹ Formen Oidipus, Kirke und Kyklopen ersetzen.

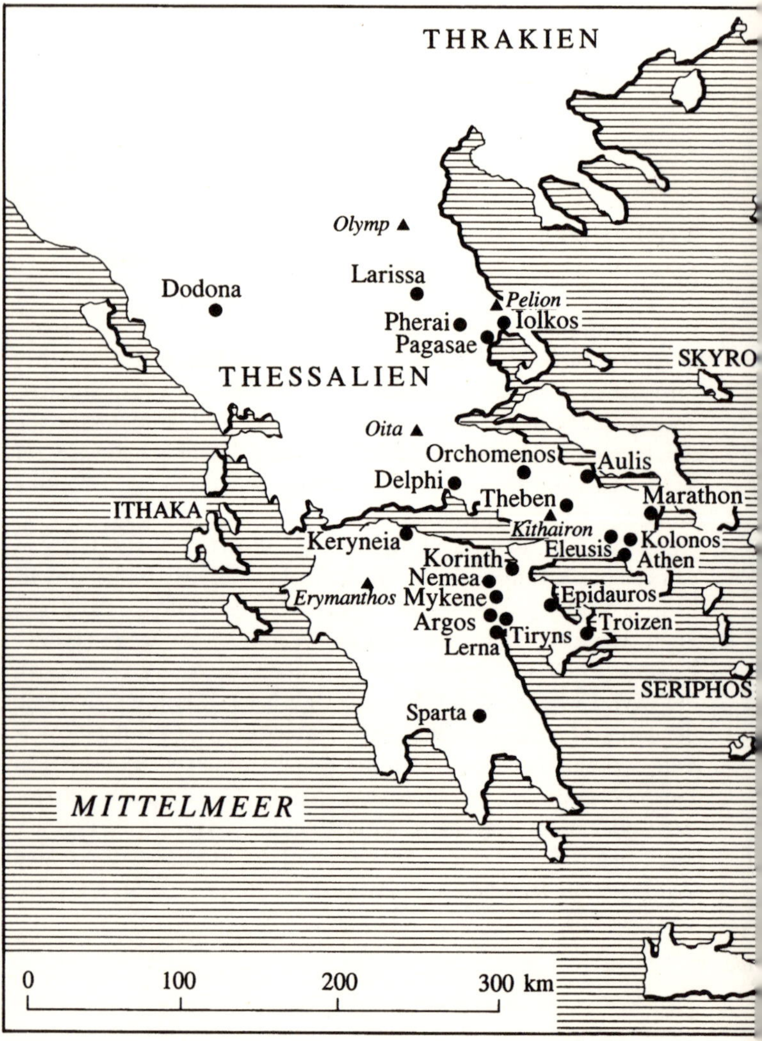
THRAKIEN
Olymp
Larissa
Dodona
Pelion
Pherai
Iolkos
Pagasae
SKYRO
THESSALIEN
Oita
Orchomenos
Aulis
Delphi
Theben
Marathon
ITHAKA
Kithairon
Keryneia
Eleusis
Kolonos
Korinth
Athen
Nemea
Erymanthos
Mykene
Epidauros
Argos
Troizen
Tiryns
Lerna
SERIPHOS
Sparta
MITTELMEER
0
100
200
300 km

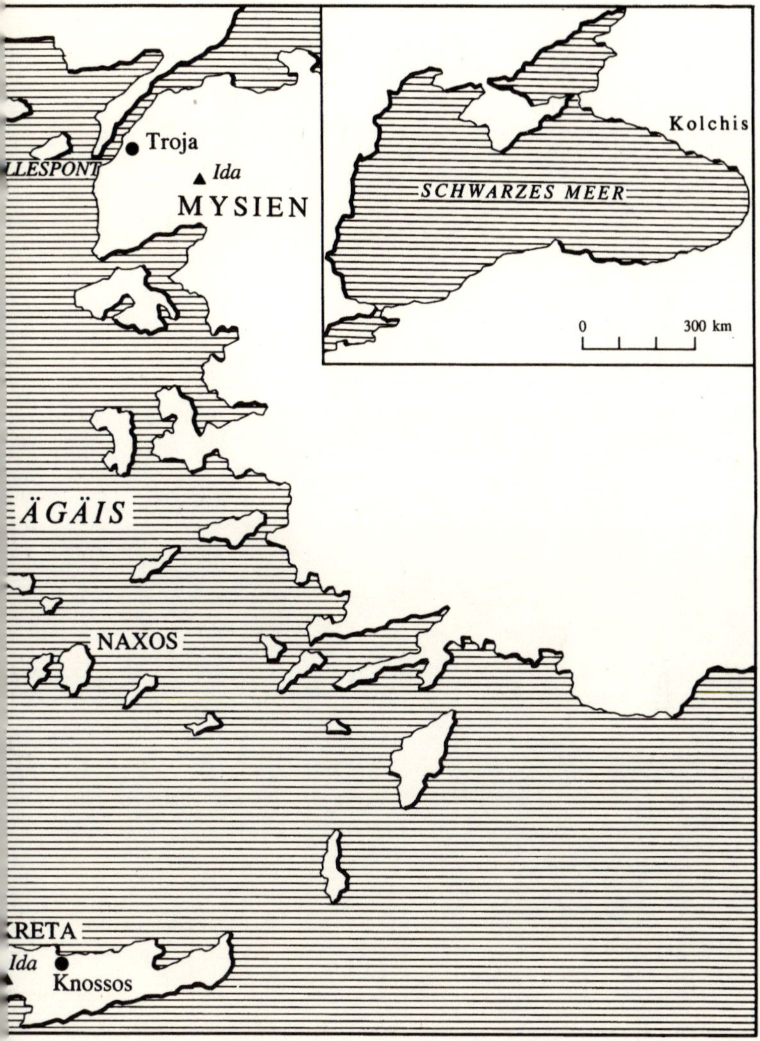

Troja
LLESPONT
Ida
MYSIEN
Kolchis
SCHWARZES MEER
0
300 km
ÄGÄIS
NAXOS
KRETA
Ida
Knossos

Einleitung

Persephone, die Tochter Demeters, der Göttin des Getreides, pflückte zusammen mit Okeanos' Töchtern auf einer Wiese Blumen. Dort wuchsen Rosen, Lilien, Krokusse, Veilchen, Schwertlilien und Hyazinthen, doch die schönste von allen soll, dem homerischen *Hymnos an Demeter* zufolge, eine Narzisse gewesen sein, die von Ge, der Erde, im Einklang mit Zeus' Plänen für das junge Mädchen als Falle aufgestellt war:

> Wunderbar prunkte die Falle, daß alle unsterblichen Götter,
> Alle sterblichen Menschen betroffen staunten beim Anblick.
> Sproßten dort doch gleich hundert Blütenköpfchen aus einer
> Wurzel; lieblichste Düfte erfüllten das lachende Weltall,
> Droben den breiten Himmel, die Erde, die schwellende
> Salzflut.
>
> (10–14; Übersetzung von Anton Weiher)

Als Persephone die Hand nach der unwiderstehlichen Blume ausstreckte, tat sich die Erde unter ihren Füßen auf, und aus dem Abgrund schoß Hades, der Herrscher der Unterwelt und Bruder von Persephones Vater Zeus, in seinem vierspännigen Wagen heraus. Er ergriff Persephone und entführte sie, ungeachtet ihrer Schreckensschreie und Hilferufe, in sein unterirdisches Reich, wo sie als seine Frau leben sollte. Offenbar hatte Persephone sich von ihren Gefährtinnen entfernt, denn keine von ihnen vermochte zu sagen, was mit ihr geschehen war. Lediglich Hekate, die Göttin der Unterwelt, hörte das junge Mädchen, und einzig der Sonnengott

Helios war Zeuge der Entführung; doch als Persephone dem Licht der Welt entrissen wurde, hallte das Echo ihrer Hilferufe von den Bergen und Felsen zu ihrer Mutter.
Außer sich vor Kummer und Sorge bedeckte Demeter ihr Haupt mit einem Schleier und suchte neun Tage lang die Erde nach ihrer Tochter ab, ohne auch nur einmal auszuruhen oder etwas zu sich zu nehmen. Dann berichtete Helios ihr, was geschehen war, und eröffnete ihr, es sei Zeus' Wille, daß Persephone ihren Onkel heiraten solle. Nun mischte sich Wut in Demeters Kummer; sie verließ den Olymp und die anderen Götter und wanderte, als alte Frau verkleidet, unter den Sterblichen über die Erde, bis sie nach Eleusis kam. Dort fand sie Aufnahme im Palast des Königs Keleos und wurde als Amme von Keleos' Sohn Demophon angestellt. In dem Bestreben, Demophon unsterblich zu machen, legte sie das Kind zum Schlafen in die glühende Asche des Feuers. Eines Nachts aber blieb Demophons Mutter auf, um die Amme zu beobachten. Als sie ihren Sohn im Feuer liegen sah, schrie sie vor Entsetzen laut auf, und die wutentbrannte Demeter ließ sich dazu hinreißen, ihre wahre Identität preiszugeben. Daraufhin errichteten die Bewohner von Eleusis der Göttin einen Tempel. Dort blieb sie, vernachlässigte ihre Pflichten ganz und gar, trauerte um ihre schöne Tochter und

> Schickte den Menschen ein Jahr, so grausig und hündisch wie keines
> Über die Welt, die so viele ernährt. Kein Samen im Boden
> Keimte; die schön bekränzte Demeter ließ ihn verkommen.
> Rinder zogen vergeblich über die Äcker die vielen
> Krummen Pflüge; nutzlos fiel in die Erde das weiße
> Korn. Und sie hätte das ganze Geschlecht der sterblichen Menschen
> Ausgerottet durch gräßlichen Hunger, ...
>
> (305–311)

Schließlich wurde Zeus, der König aller Götter, aufmerksam und rief Demeter zu sich. Diese lehnte es jedoch rundweg ab, auf den Olymp zurückzukehren oder das Getreide wachsen zu lassen, ehe sie ihre Tochter wiedersah. Da sandte Zeus seinen Boten Hermes aus, um Persephone nach Hause zu holen. Der schlaue Hades gehorchte dem Befehl seines Bruders, Persephone in die Welt der Lebenden zu entlassen, doch bevor er sie gehen ließ, gab er ihr Granatapfelkerne zu essen. Damit stellte er sicher, daß sie zu ihm zurückkehrte, denn jeder, der von Hades einmal Speise angenommen hatte, mußte einen Teil des Jahres in der Unterwelt verbringen. Persephone war deshalb nur zeitweise mit Demeter wiedervereint, und Zeus bestimmte, daß sie zwei Drittel des Jahres bei ihrer Mutter auf der Erde und ein Drittel als Hades' Gattin in der Dunkelheit des Totenreiches verbringen sollte.

Demeter mußte sich mit dieser Lösung zufriedengeben. Und wenn sie jetzt über die Erde eilte, ging erneut die Saat unter ihren Füßen auf und die Gerste reifte heran. Bei ihrer Rückkehr nach Eleusis erklärte sie den Führern des Volkes die Riten, die ihr und ihrer Tochter zu Ehren gefeiert werden sollten. Diese Riten wurden als die Eleusinischen Mysterien bekannt, deren Inhalt ein strenggehütetes Geheimnis war. Nur soviel gibt der *Hymnos an Demeter* preis:

> Selig der Erde bewohnende Mensch, der solches gesehen!
> Doch wer die Opfer nicht darbringt, oder sie meidet, wird niemals
> Teilhaft solchen Glücks; er vergeht in modrigem Düster.
>
> (480–482)

Den Begriff des Mythos hat man definiert als »für die Gesellschaft bedeutsame althergebrachte Überlieferung«. Mag diese Definition auch ein wenig blaß erscheinen, so treffen ihre beiden Kernpunkte auf den Mythos von Demeter und Persephone fraglos zu. Wie die meisten anderen griechischen Mythen ist er so »althergebracht«, daß es kaum mehr möglich ist zu sagen, wann er ursprünglich entstanden ist. Der *Hymnos an Demeter* ist die älteste erhalten gebliebene Version der Geschichte, und in ihrer gegenwärtigen Form wird sie allgemein auf das siebte vorchristliche Jahrhundert datiert. Wie die wenig älteren Epen, die *Ilias* und die *Odyssee*, existierte der *Hymnos* davor wahrscheinlich bereits mehrere Jahrhunderte lang in Form von mündlich überlieferter Dichtung, die von Generation zu Generation weitergegeben wurde. Nur sehr wenige griechische Mythen wurden offenbar in geschichtlicher Zeit erfunden: die überwiegende Mehrheit scheint so alt zu sein wie die griechische Zivilisation selbst.

Demeter (links), die Göttin der Ernte, wird häufig mit Weizen- oder Gerstenhalmen abgebildet; die Fackeln, die sie und ihre Tochter Persephone in den Händen halten, verweisen auf ihre Verbindung mit der Unterwelt. Hier senden sie den Heros Triptolemos aus, der den Menschen das Geschenk des Getreides bringen soll

Der Mythos von Demeter und Persephone ist auch äußerst »bedeutsam für die Gesellschaft«. So ist nicht nur die Aufteilung von Persephones Lebensjahr zwischen der Ober- und der Unterwelt ein lebendiges Bild für die Aufteilung des Jahres in verschiedene

Jahreszeiten; der Mythos umfaßt auch einige der grundlegenden Fragen des menschlichen Daseins. In erster Linie handelt er von der Beschaffung der lebensnotwendigen Nahrungsmittel. In der griechischen Welt war Brot das wichtigste Grundnahrungsmittel. Als Demeter sich nicht mehr um das Getreide kümmert und es zu Mißernten kommt, sieht sich der Mensch vom Hungertod bedroht. Man nimmt an, daß die Eleusinischen Mysterien u. a. dazu beitragen sollten, Demeter günstig zu stimmen, die Fruchtbarkeit der Felder sicherzustellen. Gleichzeitig ist der Mythos von Persephone jedoch eine Allegorie der natürlichen gesellschaftlichen Notwendigkeit, daß Mädchen erwachsen werden und ihr Elternhaus verlassen. Letztendlich erhält Demeter ihre Tochter nicht auf Dauer zurück, denn Persephone muß sich damit abfinden, ihre Rolle als Ehefrau zu erfüllen. In der griechischen Literatur des 5. Jahrhunderts und danach wird deutlich, daß die Entführung Persephones als Paradigma für Heirat schlechthin gesehen wird: Alle Mädchen weinen, wenn sie von der Seite ihrer Mütter gerissen werden, und immer wieder tauchen Entführung und Tod als Metaphern für Vermählung auf. Wie Persephones zeitweiliger Abstieg in die Welt der Toten, aus der sie als Ehefrau zurückkehrt, war die Eheschließung in Griechenland ein Ritual des Übergangs, das die Trennung eines Mädchens von ihrer Familie, ihre Einführung in die Pflichten einer Ehefrau und schließlich ihre Wiedereingliederung in die Gesellschaft beinhaltete, wo sie dann auch wieder mit ihren eigenen Verwandten verkehren durfte, allerdings in einer veränderten Rolle.

Griechische Mythen durchdrangen das gesamte griechische Leben, und zwar das öffentliche wie das private. So wissen wir aus den zahlreichen Zeugnissen über die athenische Gesellschaft des fünften vorchristlichen Jahrhunderts, daß ein wesentlicher Teil der Erziehung im Erlernen und Rezitieren epischer Gedichte über heroische Themen bestand. Auf Trinkgelagen unterhielten sich die Gäste oft durch wechselseitigen Vortrag bestimmter Episoden aus den Mythen, oder sie lauschten einem professionellen Künstler, der die Taten der Heroen besang und sich dazu auf der Leier begleitete. In Privathaushalten gab es Tongefäße, die mit Szenen aus

den Abenteuern der Götter und Heroen verziert waren; und ebendiese Gefäße wurden ihren Besitzern ins Grab mitgegeben. Szenen aus den Mythen waren auch gelegentlich in edle Stoffe eingewoben.
Die meisten der großen religiösen Feste standen ebenfalls mit bestimmten mythologischen Ereignissen in Verbindung. Dieser Ereignisse wurde mit den Riten, welche ein solches Fest prägten, gedacht. Auf dem im Frühjahr abgehaltenen Anthesterien-Fest z. B. fand sowohl eine Neuinszenierung der heiligen Hochzeit zwischen Dionysos und Ariadne statt als auch ein stiller Trinkwettbewerb im Gedenken an die Zeit, da Orest, vom Muttermord besudelt, Zuflucht in Athen suchte. Um den Gesetzen der Gastfreundschaft Rechnung zu tragen, dabei aber zu vermeiden, daß jemand, der an seinem Tische saß, sich durch seine Anwesenheit befleckte, setzte man ihn allein an einen Tisch, und er aß und trank schweigend. Deshalb saß an den Anthesterien jeder Teilnehmer des Trinkwettbewerbs schweigend an einem eigenen Tisch und trank aus seinem eigenen Krug. Der homerische *Hymnos an Demeter,* dessen mythologische Erzählung mit Anspielungen auf die großen Mysterien von Eleusis durchwoben ist, stellt ein weiteres typisches Beispiel dafür dar, wie unentwirrbar Mythos und Kult in Griechenland miteinander verschmolzen waren.
Griechische Mythen inspirierten großartige Kunstwerke und bedeutende Dichtungen. Die großangelegten mythologischen Malereien, die die Wände wichtiger athenischer Gebäude aus dem 5. Jahrhundert schmückten – etwa des (häufig als Theseion bezeichneten) Hephaistos-Tempels –, sind nicht erhalten, und wir sind auf antike Beschreibungen angewiesen, die uns eine Vorstellung davon vermitteln, wie eindrucksvoll sie gewesen sein müssen; die wenigen erhalten gebliebenen Gemälde – etwa das von der Entführung der Persephone in einem Grab aus dem 4. Jahrhundert in Vergina (Makedonien) – erinnern uns schmerzlich daran, was wir verloren haben. Werke architektonischer Bildhauerkunst aus allen Perioden griechischer Kunst sind in weit größerem Umfang erhalten geblieben. Die Skulpturen auf den Metopen des Parthenon stellen z. B. Episoden aus dem Kampf zwischen Menschen

und Kentauren (Tiermenschen) dar; die Figurenkonzeption der Friese des Großen Altars von Pergamon in Kleinasien, im zweiten vorchristlichen Jahrhundert zur Ehre der Götter und zum Ruhm der herrschenden Dynastie errichtet, zeigt nicht nur äußerst lebendig den Kampf zwischen Göttern und Giganten, sondern gibt auch eine seltene und wertvolle Darstellung eines weniger bekannten Mythos, nämlich von Szenen aus dem Leben des dort beheimateten Heros Telephos. Doch nicht nur für Maler und Bildhauer, auch für Dichter war der große griechische Mythenschatz wesentliches Rohmaterial und bedeutsame Quelle der Inspiration. Jedes Jahr wurden bei den großen dramatischen Wettkämpfen während des Dionysos-Festes im klassischen Athen die bekannten Mythen in neuen Versionen oder in wiederaufgegriffenen populären alten Fassungen der Öffentlichkeit zu Gesicht und Gehör gebracht; auf den Festen zu Ehren der Götter wurden – alte und neue – Lobes- und Gedenkhymnen gesungen; der *Hymnos an Demeter* mag sehr wohl für eine solche Gelegenheit verfaßt worden sein. Besäßen diese Neubearbeitungen der alten Geschichten nicht bemerkenswerte dichterische Qualitäten und übte ihre Schönheit nicht einen so nachhaltigen Reiz aus, wüßten wir heute weniger über die griechischen Mythen, und ihre Faszination wäre weitaus geringer.

Die Hauptpersonen des *Hymnos an Demeter* sind Götter und Göttinnen, in den meisten griechischen Mythen spielen jedoch Heroen (und Heroinen) eine wichtigere Rolle. Die Griechen der geschichtlichen Periode wiegten sich gern in dem Glauben, das Zeitalter der Heroen sei ihrer Zeit unmittelbar vorausgegangen. So erklärte der Dichter Hesiod im späten 8. Jahrhundert v. Chr., Zeus, der König der Götter, habe fünf aufeinanderfolgende Menschengeschlechter erschaffen. Das Geschlecht aus Gold sei das erste gewesen, das die Erde bewohnt habe: diese glücklichen Menschen hätten, den Göttern gleich, ein sorgenfreies Leben geführt, denn die Erde nährte sie ohne ihr Zutun. Auf sie folgte ein weniger begnadetes silbernes Menschengeschlecht, das körperlich und geistig schwach war; dieses wiederum wurde abgelöst von den Menschen aus Bronze. Die Bronzemenschen lebten hauptsächlich

für den Krieg; sie waren große, schreckliche Krieger, die sich indes im Laufe der Zeit selbst vernichteten.
An ihrer Stelle erschuf Zeus eine neue, ruhmreiche Rasse, »ein gottgleiches Geschlecht von Heroen, Halbgötter genannt – das Geschlecht vor unserem eigenen«. Das waren die Menschen, um deren Taten und Charaktere sich die griechischen Mythen rankten: Sie bezwangen sagenhafte Ungeheuer, überquerten die Meere auf der Suche nach Helena, starben auf der Ebene von Troja oder belagerten die siebentorige Burg von Theben; nach dem Tode kamen sie in den Genuß einer göttergleichen Existenz auf den Inseln der Seligen am Ende der Welt. Zum fünften und letzten Menschengeschlecht gehörte der pessimistische Hesiod selbst. Es handelte sich um das »eiserne Geschlecht«, das allein durch den Tod von endloser Arbeit befreit wurde: »Ich wünschte, ich wäre nicht von diesem Geschlecht, wäre vorher gestorben oder noch nicht geboren.« Hesiods Empfindungen fanden Widerhall bei vielen späteren Griechen, die voller Wehmut und Sehnsucht auf das verlorene Zeitalter der Heroen als eine noch nicht weit zurückliegende Epoche zurückblickten, in der das Leben edler und ruhmreicher gewesen war.
Adel und Ruhm kam in der griechischen Vorstellung von Heroentum elementare Bedeutung zu. Viele Heroen hatten einen göttlichen Vater oder eine göttliche Mutter – so war Zeus der Vater des Herakles, und die Meeresnymphe Thetis die Mutter des Achilleus –, alle aber stammten aus edlem Geschlecht; waren Könige oder Prinzen, Herrscher über Länder oder Städte, Befehlshaber von Heeren und Flotten, nannten märchenhafte Reichtümer ihr eigen; verfügten über nie vergehende Schönheit, Körperkraft und Kühnheit. Sie befolgten strenge Verhaltensnormen: Frauen und anderen Schutzbedürftigen begegneten sie ehrerbietig – die Gesetze der Gastfreundschaft etwa waren heilig, und kein Heros, der diesen Namen wirklich verdiente, hätte jemals einen Bettler von seinem Herd gejagt. Am wichtigsten jedoch war die Besessenheit, mit der die Heroen nach Ruhm und Ehre strebten. Wie die Ritter des Mittelalters stellten sie sich begierig jeder Herausforderung, gleichgültig, ob es um die Einnahme einer Stadt oder das Töten

eines Minotauros ging. Halbgöttern gleich, vollbrachten sie oft übermenschliche Leistungen.
Zwischen der Welt der Heroen und der Welt der Götter verlief keine klare Trennungslinie; die Götter begaben sich zu ihnen und wandelten unter ihnen, halfen ihren Söhnen oder besonderen Günstlingen, brachten jene zu Fall, die ihren Ärger erregt hatten. Sowohl Götter als auch Heroen waren indes der höheren Macht des Schicksals unterworfen. Immer wieder stoßen wir auf Personen, die ihr Geschick im voraus kennen, wie Achilleus und seine Eltern, die wußten, daß er in Troja sterben würde, wenn er sich dem Feldzug gegen die Stadt anschlösse. Das Schicksal konnte durch Orakel wie das des Apollon in Delphi offenbart werden oder aber mittelbar durch Seher, Träume und Vorzeichen. Sehr oft jedoch vermochten die Heroen nur teilweise oder nicht richtig zu deuten, was ihnen vom Schicksal bestimmt war, und ihre Unfähigkeit, dies zu erkennen und zu akzeptieren, konnte durchaus zu einer Tragödie führen, wie etwa im Fall des Ödipus.
In den nachfolgenden Kapiteln werden wir uns mehr mit den Heroen als mit den Göttern beschäftigen, doch sind die Götter im Hintergrund ständig präsent: Ihre Beziehungen zueinander, ihre Vorlieben, Eifersüchteleien, Einfluß- und Verantwortungsbereiche stehen hinter den dramatischen Ereignissen im Leben der Heroen. Bevor wir uns den Mythen selbst zuwenden, wollen wir deshalb zunächst noch einen kurzen Blick auf die Götter werfen.
Die Hauptgötter der Griechen werden, nach ihrer Wohnstätte auf dem Berg Olymp, oft als »die zwölf Olympier« bezeichnet. Es gab freilich mindestens dreizehn wichtige Gottheiten, dazu zahlreiche unbedeutendere Nebengötter. Oberster Gott war ZEUS, dessen Großvater URANOS den Himmel verkörperte. Uranos vermählte sich mit GE, der Erde, und sie brachte unzählige Kinder hervor, deren jüngstes KRONOS war. Des Gebärens überdrüssig, versicherte sich Ge der Hilfe des Kronos, der seinen Vater mit einer Sichel kastrierte und die abgeschnittenen Genitalien ins Meer warf. Danach heiratete Kronos seine eigene Schwester RHEA, doch da er wußte, daß es ihm bestimmt war, seinerseits von einem sei-

ner Kinder gestürzt zu werden, verschlang er seine ersten drei Töchter, Hestia, Demeter und Hera, sowie seine beiden Söhne Hades und Poseidon sofort nach ihrer Geburt. Als Rhea mit Zeus schwanger ging, floh sie nach Kreta und gebar das Kind in einer Höhle auf dem Berg Ida. Dort vertraute sie es der Obhut der Nymphen an, kehrte zu Kronos zurück und überreichte ihm einen in Windeln eingewickelten großen Stein, den er, in der Annahme, es handle sich um sein neugeborenes Kind, auch prompt verschlang. Als Zeus erwachsen war, zwang er seinen Vater, alle seine älteren Geschwister wieder auszuspeien; gemeinsam erklärten sie Kronos den Krieg, besiegten ihn und verbannten ihn für immer in die Tiefen des Tartaros unter der Erdoberfläche.

Danach warfen Zeus und seine Brüder das Los, um zu bestimmen, wie die Macht unter ihnen aufzuteilen sei. POSEIDON erhielt die Hoheit über die Meere und HADES die Macht über die Unterwelt und die Toten, während Zeus die Herrschaft über Erde und Himmel zufiel. Ihre drei Schwestern waren HESTIA, die Göttin des Herdes, DEMETER, die Göttin der Ernte und des Getreides, und HERA, die Zeus' Gattin wurde.

Poseidon, der Meeresgott, trägt meist einen Dreizack; hier reitet er auf einem Hippokampen, einem fischschwänzigen Seepferd

Hera hat, wie Aphrodite, außer ihrem Szepter und ihrer Schönheit kein besonderes Attribut

Diese sechs bildeten die ältere Generation der Olympier, aber viele von Zeus' Kindern erlangten ebensogroße Bedeutung. Einige brachte Hera zur Welt, die anderen stammten von verschiedenen Müttern. Hera gebar ARES, den Gott des Krieges, und HEPHAISTOS, den hinkenden Gott des Feuers und der Schmiedekunst, sowie HEBE, die Personifikation der Jugendschönheit, und EILEITHYIA, die Göttin der Geburt. Über die Abstammung APHRODITES, der Göttin der Liebe, existieren unterschiedliche Berichte: Nach einer Version war sie die Tochter des Zeus und der Dione, nach einer anderen wurde sie aus dem Schaum geboren, der aufstieg, als Kronos die Genitalien des Uranos ins Meer warf. ATHENE, die Göttin der Weisheit und des Krieges, war die Tochter des Zeus und der METIS, der Personifikation des wohlbedachten Rates. Ihre Geburt war ungewöhnlich, denn als Metis bereits mit ihr schwanger war, erfuhr Zeus von einer Prophezeiung, die besagte,

Aphrodite, die Göttin der Liebe, reitet hier auf einem ihrer heiligen Vögel, der Gans. Außer ihrer Schönheit verfügt sie über kein besonderes Attribut, doch ihre Verbindung mit der Fruchtbarkeit der Natur kann, wie hier, durch Blumen oder Pflanzenranken angedeutet sein

daß Metis nach der Geburt einer Tochter einen Sohn gebären werde, der zum Herrscher des Universums bestimmt sei. Um dem vorzubeugen, verschlang Zeus Metis kurzerhand, und zur gegebenen Zeit entsprang Athene, bereits erwachsen und in voller Rüstung, ihres Vaters Haupt, das Hephaistos hilfreich mit einer Axt gespalten hatte. Die Tochter des Zeus und der Demeter war, wie wir bereits gesehen haben, PERSEPHONE, die Göttin der Unterwelt. Leto gebar Zeus die Zwillinge APOLLON, den Gott der Musik und der Dichtkunst, und ARTEMIS, die Jägerin; Semele war die Mutter des DIONYSOS, des Weingottes; und Maia gebar HERMES, den Götterboten.

Es ist an dieser Stelle nicht möglich, auch nur andeutungsweise der Frage nachzugehen, wie sich die Griechen zu ihren Göttern

Zeus, der König aller Götter, trägt immer einen Bart und schwingt, wie hier, oft einen Donnerkeil. Der Schmiedegott Hephaistos (rechts) trägt meist eine kurze Tunika, wie in dieser Abbildung, und gelegentlich eine Axt. Hier hat er soeben von der Axt Gebrauch gemacht, um Zeus' Haupt zu spalten, dem Athene, die Göttin der Weisheit und des Krieges, ihren Schild schwingend, entsteigt

verhielten. Dieses Verhältnis wandelte sich natürlich mit dem Fortschreiten ihrer Kultur, der Entwicklung wissenschaftlicher Erkenntnisse und ethischer Vorstellungen. Es muß hier genügen, die Götter so zu nehmen, wie wir sie in den Mythen kennenlernen. In den Homerischen Epen sind die Götter z. B. am menschlichsten dargestellt und erinnern an eine große, mächtige, reichbegabte und äußerst streitsüchtige Menschenfamilie. Die Geschichte von Ares und Aphrodite, wie sie in der *Odyssee* erzählt wird, ist ein erhellendes Beispiel für ihr Verhalten und soll diese Einleitung beschließen.

Die schöne Aphrodite, die Göttin der Liebe, war mit Hephaistos, dem Gott des Feuers und der Schmiedekunst, verheiratet, verliebte sich aber leidenschaftlich in Ares, den Gott des Krieges. Hephai-

Apollon (links) spielt meist die Lyra; seine Schwester Artemis ist in der Regel mit Pfeil und Köcher bewaffnet und wird häufig von wilden Tieren begleitet

stos war zwar ein meisterhafter Schmied und Künstler, aber er hinkte und war häßlich, Ares dagegen schön und männlich. Aphrodite und ihr Geliebter trafen sich seit langem heimlich in Hephaistos' Palast, bis eines Tages Helios, die Sonne, sie sah und dem Schmiede-Gott erzählte, was da vor sich ging. Hephaistos war außer sich und fertigte sofort ein wunderbares Netz an, zart wie Spinnfäden, aber stark wie Eisen und für das bloße Auge unsichtbar; dieses Netz befestigte er ringsum an Aphrodites Lager, ehe er zu einer unüberhörbar angekündigten Reise auf die Insel Lemnos aufbrach. Ares nutzte die Gelegenheit und begab sich sofort zu Aphrodite. Als sich das Paar jedoch engumschlungen in den Armen lag, fiel das Netz über die Liebenden und fesselte sie,

Dionysos, der Gott des Weines, trägt einen Kranz aus Weinlaub oder Efeu im Haar; hier trägt er einen Weinlaubzweig in der Hand

so daß sie sich nicht mehr rühren konnten. Hephaistos, wiederum von Helios benachrichtigt, eilte nach Hause und ließ seiner Wut freien Lauf; von der Türschwelle aus rief er all die anderen Götter herbei, damit sie sich das schamlose Paar ansehen konnten. Poseidon, Apollon und Hermes erschienen, die Göttinnen allerdings blieben sittsam zu Hause. Als sie Hephaistos' listiges Werk sahen, erhob sich »unauslöschliches Gelächter« unter den seligen Göttern (*Odyssee* 8,326). Es wurde vorgeschlagen, Ares solle Hephaistos die Buße zahlen, die von Ehebrechern an betrogene Ehemänner zu entrichten war, und Apollon fragte Hermes, ob er nicht Ares' Platz einnehmen wolle; Hermes erwiderte, selbst wenn die Ketten dreimal so stark wären und alle Götter und Göttinnen kämen, um

Hermes, der Götterbote, trägt geflügelte Stiefel, die ihn rasch über Land und Meer befördern; meist mit Petasos, dem breitkrempigen Reisehut, und Caduceus, dem Heroldsstab, dargestellt

zuzusehen, würde er sich die Gelegenheit, bei Aphrodite zu schlafen, nicht entgehen lassen. Der ehrbare Poseidon war von der Sache indes eher peinlich berührt und drängte Hephaistos, die Ertappten freizulassen. Als Poseidon sich auch noch erbot, die Bürgschaft für jede Entschädigung zu übernehmen, die Ares sich zu zahlen bereit erklärte, ließ Hephaistos sich erweichen und löste die Ketten. Das unglückliche Paar floh in Ungnade, Ares nach Thrakien und die verwirrte Aphrodite nach Paphos auf Zypern in ihr Heiligtum, wo die Grazien sie badeten und salbten und in feine Gewänder kleideten, so daß sie wieder »ein Wunder zu schauen« war (*Odyssee* 8,366).

Die Arbeiten des Herakles

Herakles, der größte aller griechischen Heroen, war der Sohn von Zeus und Alkmene. Alkmene war die jungfräuliche Gattin Amphitryons, und um sie zu verführen, nahm Zeus die Gestalt ihres Gemahls an und suchte sie in dessen Abwesenheit auf. Als Amphitryon bei seiner Rückkehr herausfand, was geschehen war, geriet er dermaßen in Wut, daß er einen großen Scheiterhaufen errichtete und Alkmene bei lebendigem Leibe verbrennen wollte, hätte nicht Zeus die Wolken gesandt, die die Flammen erstickten, und Amphitryon damit gezwungen, die Situation zu akzeptieren. Nach seiner Geburt ließ der kleine Herakles seine heroischen Fähigkeiten schon bald erkennen. Noch in der Wiege erwürgte er die beiden Schlangen, die Zeus' eifersüchtige Gattin Hera gegen ihn und seinen Halbbruder Iphikles gesandt hatte; und noch im Knabenalter tötete er einen wilden Löwen auf dem Berg Kithairon. Die Abenteuer des erwachsenen Herakles waren ausgedehnter und spektakulärer als die aller anderen Heroen. Das gesamte Altertum hindurch war er äußerst populär und Gegenstand zahlreicher Geschichten und unzähliger Kunstwerke. Obwohl die ausführlichsten literarischen Quellen, die über seine Heldentaten berichten, erst aus dem 3. Jahrhundert v. Chr. stammen, lassen verstreute Hinweise und die vorhandenen künstlerischen Quellen keinen Zweifel daran, daß die meisten seiner Abenteuer, wenn nicht alle, von frühester Zeit an wohlbekannt waren.
Herakles führte seine berühmten zwölf Arbeiten auf Befehl des Eurystheus aus, des Königs von Argos oder Mykene. Es gibt mehrere Erklärungen dafür, warum Herakles sich gezwungen sah,

Alkmene auf dem Scheiterhaufen
Alkmene, die Mutter des Herakles, sitzt auf einem aus Baumstämmen errichteten Scheiterhaufen, die rechte Hand um Gnade flehend erhoben; ihr Gatte Amphitryon hält Fackeln an den Scheiterhaufen, doch Zeus schickt zwei Wolken, die Wasser auf die Flammen schütten und damit Alkmenes (und Herakles') Leben retten. Rotfiguriger Glockenkrater (Weinschale) aus Paestum, um 330 v. Chr.

Herakles und die Hydra
Weder Herakles noch die ihn begleitende geflügelte Athene scheinen die Hydra bemerkt zu haben, die sich hinter der Göttin zusammengerollt hat und mit drei gespaltenen Zungen aus drei furchteinflößenden Mäulern zischt. Etruskischer Bronzespiegel, 5. Jh. v. Chr.

all die beschwerlichen, ja undurchführbar erscheinenden Aufträge des Eurystheus zu erfüllen. Eine Quelle behauptet, die Arbeiten seien dem Helden vom Delphischen Orakel als Strafe auferlegt worden, nachdem er, in einem Anfall von Wahnsinn, alle Kinder aus seiner ersten Ehe umgebracht hatte. Während die ersten sechs Arbeiten alle auf der Peloponnes zu erledigen waren, führten die späteren Aufgaben Herakles zu verschiedenen Orten an den Grenzen der griechischen Welt und über sie hinaus. Der Zorn der Göttin Hera, von jeher eifersüchtig auf die Kinder, die Zeus mit anderen Frauen hatte, verfolgte Herakles bei der Erfüllung aller Arbeiten. Die Göttin Athene dagegen stand ihm treu zur Seite; auch erfreute er sich der Gesellschaft und gelegentlich der Hilfe seines Neffen Iolaos.

Die erste Arbeit des Herakles bestand in der Tötung des *Nemeischen Löwen.* Da diese riesige Bestie mit keiner Waffe zu verwunden war, rang Herakles mit ihr und erwürgte sie schließlich mit bloßen Händen. Danach zog er ihr mit Hilfe einer ihrer Krallen das Fell ab, das er von da an stets als Umhang trug: die Tatzen vor dem Hals geknotet, den Kopf zwischen den weitklaffenden Kiefern, hinter sich den schwingenden Schweif.

Die zweite Arbeit verlangte die Vernichtung der *Lernäischen Hydra,* einer vielköpfigen Wasserschlange, die in den Sümpfen um Lerna ihr Unwesen trieb. Jedesmal, wenn Herakles ihr einen Kopf abschlug, wuchsen an seiner Stelle zwei neue, und als wäre das noch nicht schlimm genug, schickte Hera auch noch einen Riesenkrebs, der Herakles ständig in den Fuß kniff. Dieser gemeine Trick war dem Heros zuviel, und er entschloß sich, Iolaos' Hilfe in Anspruch zu nehmen; während Herakles die Köpfe abschlug, brannte Iolaos die Stümpfe mit einer brennenden Fackel aus, damit keine neuen nachwachsen konnten. Schließlich vermochten sie das Untier zu bezwingen. Danach tauchte Herakles seine Pfeile in das Blut oder die Galle der Hydra und machte sie dadurch giftig.

Am Berg Erymanthos wütete ein *wilder Eber* und verwüstete das Land. Diesmal trug Eurystheus Herakles auf, ihm den Eber lebend zu bringen, doch die antiken Illustrationen dieser Episode, die meist zeigen, wie der ängstliche Eurystheus in einem Vorratskrug Zuflucht sucht, legen nahe, daß er seine Aufforderung später bereute.

Ein ganzes Jahr brauchte Herakles, um seine nächste Arbeit auszuführen, die darin bestand, die *Kerynitische Hirschkuh* zu fangen. Dieses Tier scheint eher scheu denn gefährlich gewesen zu sein. Es

Herakles und der Eber
Herakles bringt den Eber zu Eurystheus, der sich entsetzt in einem großen, teilweise in die Erde versenkten Vorratskrug verkriecht. Herakles schwingt das riesige Tier, als wiege es nichts. Attische schwarzfigurige Amphora (Weinkrug), um 530 v. Chr.

war der Göttin Artemis heilig und besaß, obwohl weiblich, ein herrliches Geweih. Der Sage zufolge soll Herakles, als er die Hirschkuh schließlich gefangen hatte und sich mit ihr auf dem Weg zu Eurystheus befand, Artemis begegnet sein, die äußerst ungehalten war und drohte, Herakles für seinen Frevel zu töten; als sie indes erfuhr, daß Herakles im Auftrag handelte, überließ sie ihm die Hirschkuh unter der Bedingung, daß Eurystheus das Tier freilassen müsse, sobald er es gesehen habe.

Die *Stymphalischen Vögel* waren so zahlreich, daß sie die Ernte in der ganzen Gegend um den See Stymphalos in Arkadien vernichteten; verschiedene Quellen behaupten, daß diese Vögel Menschen fraßen oder zumindest in der Lage waren, ihre Federn wie Pfeile abzuschießen. Es ist nicht ganz klar, wie Herakles die Aufgabe bewältigt hat: Ein Vasenmaler stellt ihn beim Angriff mit einer Schleuder dar, anderen Quellen zufolge soll er die Vögel jedoch mit seinen Pfeilen getötet oder mit einer eigens für diesen Zweck vom Gott Hephaistos angefertigten Bronzerassel verscheucht haben.

Die letzte der sechs peloponnesischen Arbeiten bestand im Säubern der *Augias-Ställe*. König Augias von Elis besaß riesige Viehherden, deren Ställe niemals gereinigt worden waren, so daß der Mist mehrere Meter hoch lag. Eurystheus glaubte wohl, die Aufgabe, die Ställe in einem einzigen Tag zu säubern, werde sich als ganz und gar unlösbar erweisen, doch Herakles zeigte sich abermals der Situation gewachsen. Er leitete einen Fluß um, dessen Wasser dann die ganze Arbeit für ihn erledigte.

Nun verlangte Eurystheus von Herakles, den wilden *Kretischen Stier* einzufangen. Dies war die erste Arbeit, die ihn über die Peloponnes hinausführte. Nachdem Eurystheus den Stier gesehen hatte, ließ Herakles das Tier wieder frei, und es überlebte, bis Theseus es einige Zeit später bei Marathon tötete. Als nächstes sandte Eurystheus Herakles nach Thrakien, um die menschenfressenden *Stuten des Diomedes* zu holen. Herakles bändigte diese Tiere, indem er ihnen ihren Herrn zum Fraß vorwarf, und brachte sie sicher zu seinem Auftraggeber. Sofort wurde er erneut ausgeschickt, dieses Mal an die Gestade des Schwarzen Meeres, wo er den *Gürtel der*

Herakles und die Stymphalischen Vögel
Die schön gezeichneten und gefärbten Vögel fliegen oder sitzen vor Herakles, ihre Flügel und langen Hälse auf unterschiedliche Weise anmutig ausgestreckt. Herakles zielt mit seiner Schleuder auf sie. Attische schwarzfigurige Amphora (Weinkrug), um 530 v. Chr.

Herakles und der Stier
Der tänzelnde Stier ist noch nicht ganz gebändigt; der Heros drückt seinen Körper an die Flanken des Stiers und hält dessen Kopf mit beiden Händen fest. Römische Elfenbeingruppe, 1. oder 2. Jh. n. Chr.

Amazonenkönigin an sich bringen sollte. Bei dieser Gelegenheit nahm Herakles ein Heer mit, das indes gar nicht vonnöten gewesen wäre, hätte Hera nicht Unfrieden gestiftet. Bei seiner Ankunft in Themiskyra, der Hauptstadt der Amazonen, willigte deren Königin anstandslos ein, ihm ihren Gürtel zu überlassen; Hera, die der Meinung war, daß Herakles die Erfüllung seiner Aufgabe damit zu leicht gemacht wurde, streute das Gerücht aus, er habe vor, die Königin selbst zu entführen, und ein blutiger Krieg brach aus. Herakles entkam natürlich mit dem Gürtel, allerdings erst nach schweren Kämpfen und dem Verlust zahlreicher Menschenleben.

Um seine letzten drei Arbeiten auszuführen, ließ Herakles die Grenzen der griechischen Welt vollends hinter sich. Zunächst

Herakles und die Stuten des Diomedes
Herakles steht lässig zwischen den beiden sich aufbäumenden Pferden, eine Hand auf dem Hals eines jeden. Etruskische Bronzegruppe, 4. oder 3. Jh. v. Chr.

wurde er hinter den Rand des Flusses Okeanos geschickt, in das ferne Erytheia im äußersten Westen, von wo er die *Rinder des Geryones* holen sollte. Geryones stellte eine gewaltige Herausforderung dar; er besaß nicht nur den Leib dreier Männer, sondern hatte zur Hilfe bei der Bewachung seines herrlichen Viehs einen grimmigen Hirten namens Eurytion und einen schlangenschwänzigen Hund mit zwei Köpfen namens Orthos angestellt. Orthos war der Bruder von Kerberos, dem Hund, der den Eingang zur Unterwelt bewachte, und Herakles' Begegnung mit Geryones wird zuweilen als sein erstes Zusammentreffen mit dem Tod interpretiert. Zwar konnte Herakles ohne allzugroße Mühe Eurytion und Orthos unschädlich machen, doch erwies sich Geryones mit seinen drei vollbewaffneten Körpern als ein sehr ernstzuneh-

Herakles und Geryones
Nachdem der Hirte und der bösartige Hund ausgeschaltet sind, wendet Herakles hier nun seine Aufmerksamkeit Geryones selbst zu. Einer der drei Köpfe fällt – vielleicht bereits verwundet – zurück. Attische schwarzfigurige Amphora (Weinkrug), um 540 v. Chr.

mender Gegner; erst nach einem furchtbaren Kampf gelang es Herakles, ihn zu erschlagen.
Nach Griechenland zurückgekehrt, sandte ihn Eurystheus mit einem noch hoffnungsloseren Auftrag aus: Er sollte in die Unterwelt hinabsteigen und *Kerberos*, den Höllenhund, heraufholen. Geleitet vom Götterboten Hermes, begab sich Herakles in das düstere Reich der Toten, und mit Zustimmung von Hades und Persephone lieh er sich das furchterregende dreiköpfige Ungeheuer aus, um es dem entsetzten Eurystheus zu zeigen; danach brachte er den Hund artig seinen rechtmäßigen Besitzern zurück.
Aber selbst dann verlangte Eurystheus noch eine letzte Arbeit: Herakles sollte ihm die *Goldenen Äpfel der Hesperiden* bringen. Diese Äpfel, Quell der ewigen Jugend der Götter, wuchsen in einem Garten am Ende der Welt; sie waren einst ein Hochzeitsgeschenk

Herakles und Kerberos
Eurystheus sucht erneut in seinem Vorratskrug Zuflucht, als Herakles Kerberos zur Begrüßung auf ihn losstürmen läßt. Schlangen zischen aus den drei Mäulern des Hundes und winden sich um seine sechs Vorderpfoten. Hydria (Wasserkrug) aus Caere/Cerveteri, um 520 v. Chr.

von Ge, der Erde, an Zeus und Hera gewesen. Der Baum, der die goldenen Früchte trug, wurde von Nymphen – den Hesperiden – gehütet und von einer Schlange bewacht. Die Schilderungen, wie Herakles diese letzte Aufgabe bewältigte, gehen auseinander. Die Quellen, die den Garten zu Füßen des Atlasgebirges ansiedeln, wo der Titan Atlas den Himmel auf seinen Schultern trug, berichten, Herakles habe Atlas überredet, die Äpfel für ihn zu pflücken; während dieser unterwegs war, um den Auftrag auszuführen, nahm Herakles den Himmel auf seine Schultern. Nach Atlas' Rückkehr hatte er indes einige Mühe, diesen dazu zu bewegen, seine Bürde wieder zu übernehmen. Anderen Versionen zufolge begab sich Herakles selbst in den Garten und kämpfte entweder mit der Schlange und tötete sie, oder überredete die Hesperiden, ihm die Äpfel auszuhändigen. Die Äpfel der Hesperiden symbolisierten

Herakles im Garten der Hesperiden
Herakles ruht sich angesichts des bevorstehenden Endes seiner letzten Arbeit aus. Die Hesperiden schicken sich an, ihm ihre Äpfel zu übergeben, während die Schlange, die den Baum bewacht, sich teilnahmslos um den Stamm windet. Attische rotfigurige Hydria (Wasserkrug), um 420–400 v. Chr.

Herakles und Antaios
Herakles hebt den Riesen Antaios von der Erde, seiner Mutter Ge, hoch, um ihn der Quelle seiner Kraft zu berauben. Bronzemünze des römischen Kaisers Antoninus Pius, 142–143 n. Chr.

Unsterblichkeit, und diese letzte Arbeit bedeutete, daß Herakles schließlich zum Olymp emporsteigen und seinen Platz unter den Göttern einnehmen würde.

Neben diesen zwölf berühmten Arbeiten werden Herakles viele weitere Heldentaten und Abenteuer zugeschrieben. Auf seiner Suche nach dem Garten der Hesperiden mußte er mit dem Meeresgott Nereus ringen, weil dieser ihm nicht freiwillig sagen wollte, wo das »Paradies« zu finden sei. Bei anderer Gelegenheit hatte er einen Kampf mit einer weiteren Meeresgottheit, Triton, zu bestehen. Nach der Überlieferung traf Herakles in Libyen mit dem Riesen Antaios zusammen: Antaios, ein Sohn der Ge, der Erde, war unverwundbar, solange er Berührung mit seiner Mutter hatte. Herakles rang mit ihm und hob ihn in die Luft; der mütterlichen Hilfe beraubt, war er in den starken Armen des Heros völlig hilflos. In Ägypten entging Herakles nur knapp dem Opfertod, den König Busiris ihm zugedacht hatte. Ein Seher hatte Busiris einst eröffnet, die Opferung von Fremden sei eine sichere Methode, Dürrezeiten zu mildern. Da der Seher selbst aus Zypern stammte, wurde er das erste Opfer seines eigenen Rates; als sich die Methode als erfreulich effektiv erwies, befahl Busiris, daß alle Fremden, die sich dazu verleiten ließen, sein Königreich zu betreten, geopfert werden sollten. Als die Reihe an Herakles kam, ließ dieser sich fesseln und zum Altar führen. Dort zerriß er die Fesseln, stürzte sich auf seine Gegner und metzelte sie alle nieder.

Herakles war nicht selten in Konflikte mit den Göttern verwikkelt. Als er einmal von der Delphischen Priesterin nicht die erhoffte Antwort erhielt, wollte er sich mit dem heiligen Dreifuß davonmachen und erklärte, er werde ein eigenes, besseres Orakel einsetzen. Apollons Versuch, ihn davon abzuhalten, mündete in einen heftigen Kampf der beiden, der erst dadurch beendet wurde, daß Zeus einen Blitz zwischen sie schleuderte.

Seinen Freunden gegenüber verhielt sich Herakles äußerst loyal; mehr als einmal setzte er sein eigenes Leben aufs Spiel, um ihnen zu helfen; am eindrucksvollsten im Fall von Alkestis. Admetos, König von Pherai in Thessalien, hatte mit Apollon eine Übereinkunft getroffen, daß er, wenn seine Zeit, aus dem Leben zu scheiden, gekommen sei, weiterleben dürfe, vorausgesetzt, er finde jemanden, der bereit wäre, für ihn in den Tod zu gehen. Als Admetos dann im Sterben lag, mußte er jedoch feststellen, daß es schwieriger war, einen Ersatz zu finden, als er gedacht hatte; nachdem seine betagten Eltern es selbstsüchtig abgelehnt hatten, sich für ihren Sohn zu opfern, bestand seine Gattin Alkestis darauf, an seiner Stelle zu sterben. Bei Herakles' Ankunft war sie bereits in die Unterwelt hinabgestiegen, und er folgte ihr augenblicklich. Er rang mit Thanatos, dem Tod, besiegte ihn und brachte Alkestis im Triumph in die Welt der Lebenden zurück.

Herakles war der griechische ›Superman‹, und viele der Geschichten über seine Taten sind einfach packende Erzählungen von übermenschlichen Leistungen und sagenhaften Ungeheuern. Gleichzeitig steht Herakles, wie Odysseus, für den Durchschnittsmenschen, und seine Abenteuer sind überspitzte Parabeln menschlicher Erfahrung. Hitzig, nicht übermäßig intelligent, ein Mann, der Wein, Essen und Frauen liebte (seine amourösen Abenteuer sind zu zahlreich, um sie hier im einzelnen anzuführen), war er eine außerordentlich sympathische Persönlichkeit; und im großen und ganzen war sein Beispiel nachahmenswert, denn er vernichte-

Herakles und Busiris
Herakles, dem Opfertod durch die Hand des ägyptischen Königs entgangen, bestraft nun seinerseits seine Peiniger. Einer der Ägypter ist im Begriff, von Herakles' Keule erschlagen zu werden; die anderen fliehen und lassen dabei Musikinstrumente und Opfergerät fallen. Attische rotfigurige Kylix (Trinkschale), um 520–500 v. Chr.

Herakles und der Delphische Dreifuß
Herakles und Apollon, der Schutzgott von Delphi, kämpfen um den Delphischen Dreifuß. Apollons heiliges Tier, der Hirsch, scheint bei dem Tauziehen auf seiten des Gottes mitzuziehen. Attischer rotfiguriger Kalyxkrater (Weinschale), um 500–480 v. Chr.

te das Böse, trat für das Gute ein und erhob sich dabei über all die Schläge, die das Schicksal ihm versetzte. Vor allem aber verkörperte er die Hoffnung, die letzte und entscheidende Herausforderung für den Menschen, den Tod, zu besiegen.
Herakles' Ende war charakteristischerweise dramatisch. Als er mit seiner neuen Frau Deïaneira einen Fluß überquerte, erbot sich der Kentaur Nessos, Deïaneira hinüberzubringen. In der Mitte des Flusses versuchte er, sie zu vergewaltigen. Herakles erschoß ihn mit einem seiner vergifteten Pfeile. Im Sterben heuchelte Nessos Reue und drängte Deïaneira, etwas von dem Blut seiner Wunde zu nehmen und gut zu verwahren; sollte Herakles jemals Anstalten machen, ihrer überdrüssig zu werden, müsse sie nur ein Gewand in das Blut tauchen und es ihrem Gatten zu tragen geben; danach würde er nie mehr eine andere Frau ansehen. Jahre später erinnerte

sich Deïaneira an diesen Rat, als Herakles, auf dem Heimweg von einem fernen Kriegszug, eine schöne gefangene Prinzessin vorausschickte, in die er offensichtlich verliebt war. Deïaneira sandte ihrem Gatten ein mit dem Blut getränktes Gewand; sowie er es anlegte, fraß sich das Gift der Hydra in seine Haut, und er brach unter schrecklichen Qualen zusammen. Sein ältester Sohn Hyllos trug ihn auf den Berg Oita und legte seinen entstellten, aber noch atmenden Körper auf einen Scheiterhaufen, der schließlich von dem Heros Philoktetes angezündet wurde. Mit seinen Arbeiten hatte Herakles indes Unsterblichkeit errungen, und so stieg er zum Olymp empor und nahm seinen Platz unter den Göttern ein, denen ewiges Leben beschieden ist.

Theseus von Athen

Theseus war der Inbegriff des athenischen Heros, die Verkörperung all dessen, was die Athener für ihre besten und charakteristischsten Eigenschaften hielten. Er besaß die meisten der übermenschlichen Fähigkeiten, über die schon Herakles verfügte, und seine Taten waren beinahe ebenso eindrucksvoll. Doch war er gebildeter und kultivierter als Herakles, ein hervorragender Staatsmann; zu seinen Leistungen zählen nicht nur die Einführung von religiösen und gesellschaftlichen Institutionen in Athen wie das Panathenäenfest (zu Ehren der Göttin Athene), sondern auch die politische Konsolidierung Attikas und die Begründung der athenischen Demokratie.

Theseus' Mutter war Aithra, die Tochter des Königs Pittheus von Troizen in der Argolis. Sein Vater war entweder Aigeus, der König von Athen, oder der Meeresgott Poseidon. Aigeus galt als unfruchtbar, und Aithra hatte mit beiden in der Nacht geschlafen, in der Theseus gezeugt wurde. Aigeus fürchtete, seine Neffen, die fünfzig Söhne des Pallas, würden versuchen, ihren Vetter zu beseitigen, wenn sie von seiner Existenz erfuhren; deshalb sollte der Junge bei seiner Mutter und seinem Großvater in Troizen aufwachsen. Vor seiner Abreise verbarg Aigeus ein Schwert und ein Paar Sandalen unter einem großen Felsblock und gab Anweisung, wenn Theseus stark genug sei, um den Felsen zur Seite zu wälzen, sollte man ihn nach Athen reisen lassen, um seinen Vater aufzusuchen. Als Theseus zu einem Jüngling herangewachsen war, der über große Körperkräfte, Mut und Verstand verfügte, eröffnete Aithra ihm seine Herkunft und führte ihn zu dem Stein. Theseus konnte ihn ohne Mühe wegwälzen, und seine Mutter teilte ihm mit, es sei nun an der Zeit, daß er nach Athen aufbreche. Allerdings waren sie und Pittheus sehr darauf bedacht, daß Theseus nicht den Landweg wähle; denn die Straße von Troizen nach Athen führte über den Isthmos von Korinth, der von allerlei Räubern und Bösewichten heimgesucht wurde. Doch Theseus war fest entschlossen, der Gefahr nicht auszuweichen; er hoffte, mit den Taten des Herakles wetteifern zu können und sich einen Namen zu machen, wenn er die ihn unterwegs erwartenden Abenteuer bestand.

Die Taten, die Theseus auf seiner Reise von Troizen nach Athen vollbrachte, schienen denen des Herakles den Rang streitig machen zu wollen. Es ist fast sicher, daß sie in einem Epos besungen wurden, das leider nicht erhalten geblieben ist. Der Überlieferung nach hatte Theseus seine erste Herausforderung bei Epidauros zu bestehen, wo er auf *Periphetes* traf, einen hinkenden Wegelagerer, der mit einer riesigen Keule nichtsahnende Reisende erschlug. Theseus entwand dem »Keulenmann«, wie der Unhold genannt wurde, die Waffe, tötete seinen Gegner damit und nahm die Keule als Trophäe und als Waffe mit, die ihm bei seinen nachfolgenden Abenteuern gute Dienste leisten sollte. Auf seinem ganzen Weg über den Isthmos schlug Theseus die Bösewichte mit ihren eigenen mörderischen Waffen.

Sein zweiter Gegner, *Sinis,* hatte sich darauf spezialisiert, Reisende in Stücke zu reißen: Er bog zwei Fichten bis zum Boden, band sein Opfer mit einem Arm und einem Bein an den einen Baumwipfel, mit dem anderen Arm und dem anderen Bein an den zweiten. Dann ließ er die Bäume los, die hochschnellten und dabei den Unglücklichen zerfetzten. Als Theseus sich näherte, forderte Sinis ihn auf, seine Kraft zu erproben, indem er ihm helfe, eine Fichte bis zum Boden zu biegen. Theseus willigte ein, durchschaute aber Sinis' Absicht und sorgte dafür, daß er, und nicht »der Fichtenbeuger«, den Baum zuerst losließ und der Unhold durch die Luft geschleudert wurde. Mit einem Blick auf die traurigen Überreste von früheren Reisenden, die überall um ihn herum in den Wipfeln hingen, bog Theseus zwei Bäume bis auf den Boden, band Sinis

Theseus hebt den Felsblock
Unter den aufmerksamen Blicken seiner Mutter wälzt Theseus mit großer Kraftanstrengung den riesigen Felsblock beiseite und legt das Schwert und die Sandalen frei, die sein Vater vor Jahren dort zurückgelassen hatte. Abweichend von der üblichen Version befindet sich hier zusätzlich ein Köcher bei den übrigen Gegenständen. Römisches Terrakottarelief (»Campanarelief«), 1. Jh. v. oder n. Chr.

daran fest und ließ sie dann zurückschnellen, so daß dieser denselben grauenvollen Tod erlitt, den er anderen mit Ergötzen zugefügt hatte.

Als nächstes traf Theseus auf die *Sau von Krommyon*, ein gefährliches Wildschwein, das das Land verwüstete; auch dieses Tier tötete er.

Der Wegelagerer *Skeiron* trieb sein Unwesen an der Stelle, an der

der Isthmos am engsten war und die Klippen auf beiden Seiten der Straße steil ins Meer abfielen. Als Theseus diese Stelle erreichte, befahl Skeiron ihm, niederzuknien und ihm die Füße zu waschen. Theseus gehorchte argwöhnisch und kniete so weit wie möglich vom Abgrund entfernt nieder. Plötzlich rief Skeiron, seine Schildkröte müsse gefüttert werden, und holte zu einem Tritt aus, um Theseus die Klippe hinunterzustürzen, an deren Fuß eine riesige Meeresschildkröte auf neue Opfer wartete. Doch Theseus war zu schnell für den Banditen, und Skeiron stürzte seinerseits kopfüber ins Meer.

In Eleusis forderte der Ringer *Kerkyon* Theseus zum Kampf, aber auch er mußte feststellen, daß er seinen Meister gefunden hatte. Wenig später wurde Theseus von dem berüchtigten *Prokrustes* gedrängt, die Nacht auf seinem wunderbaren Bett zu verbringen, einer Lagerstatt, die jedem Gast garantiert haargenau angepaßt wurde: waren die Reisenden zu klein, bearbeitete er sie mit einem Schlegel, um sie zu strecken, waren sie zu lang, hackte er ihnen Kopf oder Füße ab. Theseus war Prokrustes' letzter Gast, und Prokrustes' verstümmelter Körper war der letzte, den man in dem schrecklichen Bett fand.

Als Theseus schließlich in Athen eintraf, mußte er feststellen, daß sein Vater Aigeus im Bann der Zauberin Medea stand, die versprochen hatte, ihn von seiner angeblichen Unfruchtbarkeit zu heilen und ihm zahlreiche Söhne zu schenken. Theseus gab sich Aigeus nicht zu erkennen, doch Medea wußte sofort, wer er war. Da sein Auftauchen die Pläne, die sie für ihren eigenen Sohn von Aigeus, Medos, geschmiedet hatte, weitgehend zu vereiteln drohte, bemühte sie sich nach Kräften, den unliebsamen Störenfried aus dem Weg zu räumen. Zuerst drängte sie Aigeus, er solle dem jungen Fremden, der behauptete, mit so vielen Schurken fertig geworden zu sein, auftragen, den *Stier von Marathon* unschädlich zu machen; das Tier, von Herakles einige Zeit zuvor aus Kreta dorthin gebracht, verwüstete damals das Land um Athen. Der Stier war riesengroß und schnaubte Feuer, doch gelang es Theseus, ihn einzufangen und nach Athen zurückzubringen, wo er ihn der Schutzgöttin der Stadt, Athene, opferte.

Nachdem ihr erster Versuch, Theseus zu beseitigen, gescheitert war, trachtete Medea ihn nun zu vergiften. Nach der Überlieferung nutzte sie dazu das öffentliche Festmahl, das anläßlich der Opferung des Stiers von Marathon abgehalten wurde. Gerade in dem Augenblick, als Medea einen Becher mit Gift auf den Tisch stellte, zog Theseus das Schwert, das er aus Troizen mitgebracht hatte, als wolle er damit das Opferfleisch schneiden. Aigeus, der die Waffe sogleich erkannte, sprang vor Überraschung und Freude auf und stieß dabei den Becher um, dessen Inhalt auf den Boden floß und sich zischend in den Marmor einfraß. Vater und Sohn waren wieder vereint, die so entlarvte und bloßgestellte Medea mußte die Flucht ergreifen.
Danach machte Theseus sich daran, die Gefahr zu beseitigen, die seinem Vater und ihm von den Umsturzplänen seiner Vettern, den Söhnen des Pallas, drohte. Er legte ihnen einen Hinterhalt und verjagte sie ein für allemal. Doch sogleich wartete eine andere schwere Prüfung auf ihn – der *Minotauros*. Alle neun Jahre forderte der kretische König Minos von Athen sieben Jungfrauen und sieben junge Männer als Tribut, deren Schicksal es war, dem Stier geopfert zu werden. Der Minotauros, ein Ungeheuer mit menschlichem Körper und Stierkopf, war der Nachkomme von Minos' Gattin Pasiphaë und einem von Poseidon aus dem Meer gesandten Stier. Er lebte im Labyrinth, einem dunklen Gewirr von sich endlos windenden Korridoren, verschlossenen Ausgängen und verwirrenden Abzweigungen, das der erfindungsreiche Handwerker Daidalos für Minos erbaut hatte.
Die Sage vom Tribut in Form von Menschenleben mag eine Epoche widerspiegeln, in der Athen unter kretisch-minoischer Oberhoheit stand; doch die Theseus-Geschichte bezieht sich auf ein spezielleres Ereignis: Aigeus hatte zuvor Minos' Sohn Androgeos ausgeschickt, um den Stier von Marathon zu fangen, und Androgeos war dabei ums Leben gekommen. Deshalb forderte Minos den Tribut gleichsam als Ausgleich für den Tod seines Sohnes. Wie dem auch sei, kurze Zeit, nachdem die Söhne des Pallas geschlagen waren, nahte der Zeitpunkt, zu dem der Tribut fällig war. Als Theseus davon erfuhr, faßte er sofort den Entschluß, sich

als einer der sieben jungen Athener nach Kreta schicken zu lassen. Von Schmerz und Kummer übermannt, tat Aigeus alles, um Theseus von seinem Vorhaben abzubringen, doch dieser ließ sich nicht abhalten und versprach Aigeus, den Minotauros zu erschlagen und wohlbehalten nach Hause zurückzukehren.

Aigeus war überzeugt, daß er seinen Sohn nie wiedersehen würde. Dennoch ließ er das Schiff, das die jungen Männer und Mädchen nach Kreta bringen sollte, mit zweierlei Segeln ausrüsten – mit schwarzen und mit weißen. Das Schiff stach mit schwarzen Segeln in See, wie es dem traurigen Anlaß der Reise angemessen

Die Taten des Theseus
In der Mitte zerrt Theseus den erlegten Minotauros aus dem durch das Mäander- und Karoband angedeuteten Labyrinth. Darum herum ist Theseus mit Sinis, der Krommyonischen Sau, dem Ringer Kerkyon, Prokrustes, Skeiron und dem Stier von Marathon abgebildet. Attische rotfigurige Kylix (Trinkschale), um 440–420 v. Chr.

war, die weißen Segel aber, so verlangte er, sollten gehißt werden, wenn es siegreich heimkehre – als Zeichen, das er von der Akropolis aus schon sehen könne. Nach Ankunft des Schiffes auf Kreta wurden die jungen Leute aus Athen von Minos und dem kretischen Hof gastfreundlich aufgenommen; während der bei solchen Gelegenheiten stattfindenden athletischen Wettkämpfe sah Minos' Tochter Ariadne Theseus und verliebte sich in ihn auf den ersten Blick. Als die Zeit gekommen war, da die Opfer das Labyrinth betreten mußten, steckte Adriadne Theseus, der sich freiwillig als erster gemeldet hatte, heimlich ein Fadenknäuel zu; dieser befestigte nun ein Ende des Fadens in der Nähe des Eingangs und wikkelte das Knäuel ab, während er in dem Irrgarten immer weiter vorwärts drang. Schließlich erreichte er das Zentrum des Labyrinths und sah sich dem Minotauros von Angesicht zu Angesicht gegenüber, der sich als weitaus furchterregender erwies als jedes andere Geschöpf, das er bis dahin erblickt hatte. Theseus war unbewaffnet; mit bloßen Händen wehrte er die Angriffe des Ungeheuers ab und verschliß dessen Kräfte solange, bis er ihm den Hals brechen konnte. Völlig erschöpft, aber unverletzt, fand Theseus mit Hilfe des Fadens zum Ausgang zurück, wo Ariadne ihn voller Unruhe erwartete. Zusammen holten sie die übrigen jungen Leute aus Athen, flohen aufs Schiff und segelten sofort in Richtung Festland ab.

Weder für Theseus noch für Ariadne hatte die Geschichte ein glückliches Ende. Zwar hatte Theseus Ariadne versprochen, daß er sie mit nach Griechenland nehmen werde, doch ließ er sie auf der Insel Naxos zurück. Die Gründe dafür sind umstritten. Die populäre und romantische Version der Geschichte geht dahin, daß es die Götter waren, die Theseus eingegeben hätten, Ariadne zu vergessen; er habe sie an einem abgeschiedenen Ort schlafend zurückgelassen, wo Dionysos sie später fand. Prosaischere Quellen, die bestrebt sind, ein derart unheroisches Verhalten des Theseus zu erklären und zu entschuldigen, berichten indes, er habe sie auf Naxos an Land gebracht, da sie schwanger und schwer seekrank war; dann habe ein Sturm ihn und sein Schiff aufs Meer hinausgetrieben, und sie sei bei der Geburt des Kindes gestorben. Nach

dieser Fassung der Geschichte hatte Theseus die schwarzen Segel gesetzt, als er sich Athen näherte, weil er noch immer um Ariadne trauerte; die üblichere Version lautet jedoch, Theseus habe, in seinem Eifer, nach Hause zurückzukehren, schlichtweg vergessen, die schwarzen gegen die weißen auszutauschen. Also erblickte Aigeus, wie er voller Unruhe den Horizont absuchte, die schwarzen Segel; in dem Glauben, sein Sohn sei umgekommen, stürzte er sich vom Felsen der Akropolis in die Tiefe.
Nach Aigeus' Tod wurde Theseus König von Athen, doch seine Verstrickung in heroische Abenteuer hörte damit nicht auf. Als er an den Feierlichkeiten anläßlich der Hochzeit des mit ihm eng befreundeten Lapithenkönigs Peirithoos teilnahm, fand er sich plötzlich im dichtesten Kampfgetümmel mit den *Kentauren*, jenen Geschöpfen, die zur Hälfte Mensch, zur Hälfte Pferd waren. Peirithoos hatte die Kentauren zur Hochzeitsfeier eingeladen, weil sie seine Nachbarn waren, doch hatten sie zuviel Wein getrunken und versuchten, die Lapithinnen, darunter auch die Braut, zu entführen. Nur unter schweren Verlusten gelang es Theseus und den anderen, den Übergriff abzuwehren.
Theseus war häufig in Liebesaffären verwickelt. Seine Entführung der *Amazone Antiope* hatte die Invasion der Amazonen in Attika zur Folge, die erst nach heftigen Kämpfen zurückgeschlagen werden konnte. Im Alter taten sich Theseus und Peirithoos zusammen, um zwei Töchter des Zeus, Helena und Persephone, zu entführen. Es gelang ihnen, Helena in ihre Gewalt zu bringen (lange bevor sie Menelaos' Frau wurde); als sie jedoch auf der Suche nach Persephone in das Totenreich hinabstiegen, begann das Verhängnis. Persephones Gatte Hades, der Gott der Unterwelt, lud die beiden ein, an einem Tisch mit ihm zu speisen; als sie später aufstehen wollten, mußten sie feststellen, daß sie an den Sitzen festgewachsen waren. Herakles gelang es schließlich, Theseus zu retten, doch Peirithoos mußte für immer im Reich der Toten bleiben.
Theseus' Ende war dann seltsam unheroisch: er wurde von Lykomedes, dem König der Insel Skyros, von einem Felsen gestoßen, »sei es nun«, sucht Plutarch nach Gründen, »daß er Furcht hatte

Der Kampf mit den Kentauren
Der Kentaur tastet nach einer Wunde in seinem Rücken, sein mächtiger Torso ist vor Schmerz gekrümmt; der jugendliche Lapith hält seinen Gegner mit der linken Hand fest, die rechte erhebt er zum entscheidenden Schlag. Die beiden Figuren streben auseinander, bilden aber durch den von dem schweren Umhang des Lapithen gebildeten Hintergrund eine formale Einheit. Marmormetope (reliefgeschmückte Friesplatte) des Parthenon, Athen, 445–440 v. Chr.

vor dem Ruhm des Mannes, sei es auch, daß er sich dem Menestheus gefällig erweisen wollte«, der während Theseus' Aufenthalt in der Unterwelt das Volk gegen den König und seine demokratischen Reformen aufgehetzt hatte.
Die Hauptquelle für die Geschichte des Theseus ist der eben zitierte Plutarch, ein griechischer Philosoph, Priester und Ethiker, der im späten 1. und frühen 2. Jahrhundert n. Chr. lebte. Zu seinen Werken zählt eine Reihe von vergleichenden Biographien mehrerer berühmter Griechen und Römer, von denen einige historisch,

andere nur Legende sind. In den *Parallelbiographien* wird Theseus mit Romulus verglichen, ein Hinweis auf die politische Bedeutung, die ihm die Überlieferung beimaß: war Romulus der Gründer Roms, so galt Theseus als Vater der athenischen Demokratie. Diese Vorstellung scheint ihren Ursprung in den letzten Jahren des sechsten vorchristlichen Jahrhunderts gehabt zu haben, als der athenische Staatsmann Kleisthenes demokratische Reformen einleitete. Viele Reformen werden sowohl Theseus als auch Kleisthenes zugeschrieben, beide sollen die Vereinigung Attikas vorangetrieben und die Bevölkerung in drei Stände – Adel, Bauern und Handwerker – eingeteilt haben, welche die Basis für die politischen Gruppierungen im Athen der historischen Epoche bildeten. Theseus soll, wie Kleisthenes, verschiedene Volksversammlungen und Gerichtshöfe eingerichtet, Feste gestiftet und Wirtschaftsreformen wie das Prägen von Münzen in die Wege geleitet haben. Man vermutet, daß ein neues Epos über Theseus von Kleisthenes oder der neuen Demokratie in Auftrag gegeben worden sein könnte, und es steht zweifelsfrei fest, daß vom späten 6. bis zur Mitte des 5. Jahrhunderts Theseus' Popularität derjenigen des Herakles in der athenischen Kunst und im athenischen Denken nicht nachstand. Er ist auf dem Skulpturenschmuck der Tempel und auf den bemalten Vasen zu sehen, die die Leute im Alltag benutzten und mit ins Grab nahmen. Im Jahre 490 v. Chr., als die Athener in der Schlacht von Marathon von den Persern in schwere Bedrängnis gebracht wurden, soll Theseus, der Begründer der freiheitlichen Verfassung, für deren Erhalt sie kämpften, an der Spitze des Heeres aufgetaucht sein und den Soldaten neue Kraft eingeflößt haben.

Um 475–470 v. Chr. fand man in einem Grab auf Skyros riesige Gebeine; sie wurden als die sterblichen Überreste des Theseus identifiziert und feierlich nach Athen überführt, wo eigens ein Heiligtum, das Theseion, errichtet wurde, um sie aufzunehmen. Damals war Theseus für die Athener nicht nur eine mythologische Gestalt, sondern er war für sie zum politischen Symbol geworden, zum Symbol ihrer Demokratie.

Der Trojanische Krieg

Fand der Trojanische Krieg statt? Welche Faszination die Geschichte des Trojanischen Krieges auf nachfolgende Generationen ausgeübt hat, zeigen die Bemühungen zahlloser Historiker, Archäologen und romantischer Schwärmer, die historische Grundlage des Trojanischen Krieges nachzuweisen und die Stelle zu finden, wo das alte Troja gestanden haben könnte. Heute herrscht weitgehende Übereinstimmung, daß die Stelle von Heinrich Schliemann im späten 19. Jahrhundert richtig identifiziert wurde, und zwar als der Hügel von Hissarlik, der sich auf der Ebene entlang der Dardanellen an der Nordwestküste der Türkei erhebt. Schliemanns Anspruch, das Troja des Trojanischen Krieges entdeckt zu haben, wird indes heute allgemein in Frage gestellt. Der Hügel von Hissarlik birgt mehrere übereinandergelagerte Siedlungsebenen, und Schliemann behauptete, in einer der untersten wunderbare Schätze gefunden zu haben. Diese Siedlung ist nach heutigen Erkenntnissen aber tausend Jahre zu alt, um von Griechen aus den mykenischen Palästen des griechischen Festlands zerstört worden zu sein. Allerdings könnten diese an der Zerstörung einer der späteren Siedlungen von Hissarlik beteiligt gewesen sein, die, möglicherweise nach einer Belagerung, etwa um die richtige Zeit (also um 1200 v. Chr.) niedergebrannt wurde. Dieses spätere Troja war eine relativ bescheidene Siedlung, doch mag in ihrer Zerstörung der Kern der historischen Wahrheit liegen, um den sich die Sage rankte. Das Entstehen der Sage bleibt indes ein Geheimnis, das von der Archäologie wohl kaum gelüftet werden dürfte. Es besteht also keine Gefahr, daß die romantische Rätselhaftigkeit, die Troja umgibt, jemals zerstört werden wird.

Unabhängig davon, wie weit die Ereignisse auf historischen Tatsachen beruhen, stellt der Trojanische Krieg die wichtigste Einzelepisode bzw. den wichtigsten Komplex von Episoden dar, die aus der griechischen Mythologie und Sage überliefert sind. Die Ereignisse, die zum eigentlichen Krieg führten, und jene, die darauf folgten, sind in einer Reihe von Geschichten zusammengefaßt, die als der Trojanische Zyklus bekannt sind; einige sind aus den beiden großen Homerischen Epen, der *Ilias* und der *Odyssee*, bekannt, andere müssen jedoch aus zahlreichen späteren Quellen zusammengesetzt werden, die von den griechischen Tragödiendichtern des fünften vorchristlichen Jahrhunderts bis zu viel späteren römischen Autoren reichen. Die Geschichte als Ganzes kann in ihrem Reichtum und ihrer Komplexität der Verflechtung von Personen und Themen mit einer Wagner-Oper verglichen werden; sie ist ungemein romantisch und menschlich packend, denn wie alle griechischen Mythen ist sie im wesentlichen die Geschichte des Menschen und seines Überlebenskampfes im Angesicht des Schicksals und der Götter.

Eines der ersten Glieder in der Kette der Ereignisse, die das Vorspiel zum Trojanischen Krieg bildeten, wurde von Prometheus, dem großen Wohltäter der Menschheit, geschmiedet. Prometheus hatte – sehr zum Ärger seines Vetters Zeus – den Menschen das Feuer gebracht, dessen Wohltaten bisher allein den Göttern vorbehalten gewesen waren. Er hatte die Menschen auch gelehrt, den Göttern bei Fleischopfern nur die Knochen und das Fett darzubringen und die besten Stücke für sich zu behalten. Zur Strafe fesselte Zeus Prometheus an einen Felsen hoch in den Bergen und schickte einen Adler, der ihm jeden Tag die Leber, welche ihm über Nacht wieder nachwuchs, heraushacken und fressen sollte.

Nach einigen Quellen wurde Prometheus schließlich von Herakles befreit, andere behaupten jedoch, er sei von Zeus selbst erlöst worden, nachdem er sich bereit erklärt hatte, diesem ein wichtiges Geheimnis preiszugeben. Dieses Geheimnis betraf die Meeresnymphe Thetis, die so schön war, daß auch mehrere Götter zu ihren Freiern zählten, darunter Poseidon und Zeus. Eine nur Prometheus bekannte Prophezeiung besagte jedoch, daß es dem Sohn der Thetis bestimmt sei, mächtiger zu sein als sein Vater. Als Zeus dies erfuhr, ließ er von seiner Absicht, einen Sohn mit Thetis zu zeugen, sofort ab und beschloß, sie mit dem sterblichen Peleus zu vermählen; aus dieser Verbindung ging Achilleus hervor, der größte der griechischen Heroen vor Troja.

Thetis wies Peleus' Annäherungsversuche zunächst zurück, indem sie sich in Feuer, Schlangen, Ungeheuer und anderes verwandelte, doch Peleus hielt sie trotz all ihrer Verwandlungen fest, und schließlich mußte sie sich fügen. Bis auf eine wurden alle Gottheiten des Olymp zu der prachtvollen Hochzeit von Peleus und Thetis geladen; während das Fest in vollem Gange war, erschien Eris, die Göttin der Zwietracht, die als einzige übergangen worden war, und warf einen goldenen Apfel unter die Gäste, der (was allerdings erst in sehr späten Quellen überliefert ist) die Inschrift »Für die Schönste« trug. Drei Göttinnen, nämlich Hera, Athene und Aphrodite, erhoben Anspruch auf diesen Apfel. Da sie sich nicht einigen konnten und Zeus verständlicherweise in dieser Angelegenheit ungern selbst eine Entscheidung fällen wollte, sandte er die Göttinnen zu Paris, der als der schönste Mann unter den Sterblichen galt; der vermeintliche Hirte auf dem Berg Ida vor den Toren Trojas an den östlichen Gestaden des Mittelmeeres sollte entscheiden, welche von ihnen die Schönste sei.

In Wirklichkeit war Paris nämlich ein Sohn des Priamos, des Königs von Troja, doch als Priamos' Gattin Hekuba mit ihm schwanger war, hatte sie einen Traum, in dem sie eine zischende Schlangen hervorbringende Fackel gebar. Der von den besorgten Eltern befragte Seher verkündete, das Kind werde Trojas Untergang herbeiführen. Deshalb wurde es gleich nach der Geburt einem Dienstboten mit dem Befehl übergeben, es auf den Berg Ida zu bringen und dort zu töten. Der Diener tötete den Säugling jedoch nicht, sondern setzte ihn lediglich aus; er wurde von Schäfern oder sonstigen Hirten gefunden und von ihnen großgezogen. Als Paris eines Tages wie üblich über seine Herden auf dem Berg wachte, brachte Hermes die drei Göttinnen zu ihm, damit er ihre

Peleus und Thetis
Peleus hält Thetis mit festem Ringergriff umklammert. Der Panther auf Peleus' Rücken und der Wolfskopf mit Schlangenornamenten rechts vom Haupt der Thetis deuten ihre Verwandlung in verschiedene Tiere an, mit der sie Peleus dazu bringen wollte, sie loszulassen. Attische schwarzfigurige Amphora (Weinkrug), um 500 v. Chr.

Schönheit beurteile. Jede versprach ihm eine Belohnung, wenn seine Wahl auf sie falle: Hera lockte mit Reichtum und Macht, Athene mit Tüchtigkeit und Weisheit im Kampf und Aphrodite mit der Liebe der schönsten Frau der Welt. Er erkannte Aphrodite den Apfel zu und zog sich damit den unsterblichen Haß der beiden anderen zu, die von diesem Zeitpunkt an unversöhnliche Feindinnen Trojas waren. Kurze Zeit später begab sich Paris nach Troja. Diener des Königs hatten ihm seinen besten Stier fortgetrieben, der als Preis bei athletischen Wettkämpfen ausgesetzt werden sollte, und Paris hoffte, ihn zurückgewinnen zu können. Er nahm an den Spielen teil, und schon bald weckten seine Tüchtigkeit und

Das Urteil des Paris
Während sich Hera und Athene von links nähern, wendet sich Paris dem Eros neben seiner Schulter zu und blickt zu Aphrodite hinüber, die ganz rechts sitzt. Zwischen ihr und Paris steht Hermes. Hinter einem kleinen Hügel über ihm steigt Eris empor, die Personifikation der Zwietracht – ein Hinweis auf die bevorstehende Entführung Helenas und den zehnjährigen Kampf um Troja. Attische rotfigurige Hydria (Wasserkrug), um 420–400 v. Chr.

seine verblüffende Schönheit das Interesse seiner Eltern, die rasch entdeckten, wer er war, und ihn mit Freuden wieder in die Familie aufnahmen.
Die schönste Frau der Welt war Helena, die Tochter des Zeus und der Leda. Viele Könige und Adlige wollten sie als Gemahlin heimführen, und ehe ihr sterblicher Vater, Tyndareus, den Namen des Auserwählten bekanntgab, ließ er alle Freier schwören, daß sie Helenas Wahl anerkannten und ihrem Gatten zu Hilfe kämen, sollte sie jemals entführt werden. Helena heiratete Menelaos, den König von Sparta, und als Paris sie aufsuchte, hatten sie bereits eine Tochter, Hermione. Menelaos hieß den Trojaner in seinem Haus willkommen, doch Paris vergalt ihm seine Gastfreundschaft mit der Entführung seiner Gemahlin. Helenas Rolle bei diesen Ereignissen wurde von verschiedenen Quellen unterschiedlich dargestellt: Entweder wurde sie gegen ihren Willen entführt, oder Aphrodite machte sie vor Verlangen nach Paris verrückt. Befremdlich mutet eine dritte Version an: Helena soll überhaupt nicht in Troja gewesen sein, wobei die Griechen einen zehnjährigen Krieg um ein Phantom geführt hätten.

Die Streitmacht sticht in See

Menelaos rief alle früheren Freier Helenas sowie alle anderen Könige und Adligen Griechenlands zusammen, um sich ihrer Unterstützung für einen Feldzug gegen Troja zu versichern, mit dem er seine Gattin zurückholen wollte. Der Führer der griechischen Streitmacht war Agamemnon, der König von Mykene und ältere Bruder des Menelaos. Die griechischen Krieger kamen vom gesamten Festland und den Inseln in den Hafen von Aulis, von wo aus sie durch die Ägäis nach Troja segeln wollten. Ihre Herkunft und die Namen ihrer Führer sind in dem großen Schiffskatalog im zweiten Gesang der *Ilias* aufgeführt:

So wie viele Völker geflügelter Vögel umherziehn,
Gänse und Kraniche auch, mit langen Hälsen auch Schwäne,
Auf der Asischen Aue am Ufer des Flusses Kaÿstros;
Mit ihren Flügeln prangend fliegen sie hierhin und dorthin,
Lassen unter Geschrei sich nieder, es dröhnet die Wiese:
So auch strömten da viele Völker aus Schiffen und Zelten
In die Skamanderebene vor; die Erde darunter
Dröhnte gewaltig unter den Füßen von Menschen und Rossen.
Auf der Skamanderwiese, der blühenden, blieben sie stehen,
Tausende, so wie die Blätter und Blüten entstehen im Frühjahr,
So wie viele Völker von dicht sich drängenden Fliegen,
Welche den Hof des Hirten unablässig umschwirren,
Wenn sich zur Frühlingszeit mit Milch die Bottiche füllen:
So viel standen auch da die Achäer im Schmucke des Haupthaars
Gegen die Troer im Felde, sie zu vernichten begehrend.
So wie die Ziegenhirten die schweifenden Herden der Ziegen
Leicht zu trennen vermögen, wenn sie auf der Weide sich mischten,
Also verteilten die Führer die Mannen hierhin und dorthin,
Um in die Schlacht zu ziehn; der mächtige Herr Agamemnon
Glich an Augen und Haupt dem donnerfrohen Kroniden
Und dem Ares am Gurt, am Rücken jedoch dem Poseidon.
So wie ein Stier in der Herde herausragt unter den andern,
Kraftvoll sticht er hervor unter all den versammelten Rindern:
So auch machte Zeus an jenem Tag den Atriden,
Daß unter vielen Heroen er ausgezeichnet hervorstach.
Kündet, Musen, mir nun, die ihr Häuser bewohnt im Olympos –
Göttinnen seid ihr ja, wißt alles, allgegenwärtig,
Unser Wissen ist nichts, wir hören alleine die Kunde –,
Welches die Führer der Danaer waren und ihre Gebieter.
Freilich, die Menge könnt ich nicht künden und nicht benennen,
Selbst wenn mir zehn Zungen und auch zehn Münder mir wären,

Unverwüstlich die Stimme und ehern das Herz mir im Innern,
Wenn ihr olympischen Musen, des Zeus, des Halters der Ägis,
Töchter, mich nicht daran mahntet, wie viele nach Ilion kamen.
Führer der Schiffe nenn ich nur und alle die Schiffe.

(2,459–493; Übersetzung von Roland Hampe)

Manche der Heroen kamen bereitwilliger nach Aulis als andere. Odysseus, der König von Ithaka, der die Prophezeiung kannte, er werde erst nach zwanzig Jahren zurückkehren, wenn er nach Troja gehe, täuschte Wahnsinn vor, als der Herold Palamedes kam, um ihn zu holen: Er hatte ein Pferd und einen Ochsen vor den Pflug gespannt und trieb sie am Strand auf und ab. Seine List wurde indes von Palamedes durchschaut. Um Odysseus zu zwingen, seine Verstellung aufzugeben, legte er dessen kleinen Sohn Telemach vor den Pflug. Odysseus hielt sein Gespann sofort an und bewies damit, daß er völlig normal war. Achilleus' Eltern, Peleus und Thetis, wollten eine Teilnahme ihres noch jungen Sohnes an dem Feldzug verhindern, weil sie wußten, daß es ihm bestimmt war, vor Troja zu sterben, wenn er gegen die Stadt ziehe. Sie schickten ihn zu König Lykomedes nach Skyros, der ihn, als Mädchen verkleidet, bei seinen Töchtern verbarg. In dieser Zeit heiratete er eine der Töchter, Deidameia, die ihm einen Sohn, Neoptolemos, gebar.

Odysseus hatte jedoch von der Prophezeiung des Sehers Kalchas erfahren, daß die Griechen Troja ohne Achilleus' Hilfe niemals würden einnehmen können. Deshalb begab er sich nach Skyros, um den Jungen zu holen. Nach einer Version der Geschichte verkleidete sich Odysseus als Hausierer, erhielt Zutritt zum Hof und breitete seine Waren vor den Frauen aus; neben Edelsteinen und Stoffen befanden sich darunter auch Waffen, an denen der junge Achilleus ein verräterisches Interesse zeigte. Eine andere Quelle beschreibt, wie Odysseus dafür sorgte, daß der Klang einer scheinbar zum Angriff auf die Insel blasenden Trompete in den Frauengemächern zu hören war. Während die wirklichen Töchter bestürzt in alle Richtungen davonliefen, wich Achilleus nicht von der Stelle und rief nach Waffen. Einmal entdeckt, ließ sich Achil-

leus schnell dazu überreden, mit Odysseus nach Aulis zurückzukehren, wo sich die Flotte zum Auslaufen bereitmachte.
Doch ein ungünstiger Wind hinderte die riesige griechische Streitmacht, deren bedeutendste Führer Agamemnon, Menelaos, Odysseus, Aias, Diomedes und Achilleus waren, lange Zeit daran, in See zu stechen. Schließlich verkündete der Seher Kalchas, die Göttin Artemis verlange, daß Agamemnons älteste Tochter Iphigenie geopfert würde, wenn der Wind sich drehen solle. Agamemnon war entsetzt, doch die Meinung der Versammelten zwang ihn zu gehorchen: Iphigenie, unter dem Vorwand herbeigeholt, sie solle Achilleus heiraten, wurde statt dessen auf dem Altar getötet. Einige Quellen behaupten allerdings, Artemis habe sich ihrer erbarmt und im letzten Augenblick eine Hirschkuh an ihrer Stelle auf den Altar gelegt, während sie Iphigenie in das Land der Taurer entführte und dort zur Priesterin in ihrem Heiligtum machte. Wie dem auch sei – jedenfalls drehte sich der Wind, und die Schiffe setzten die Segel.

Der Zorn des Achilleus

Zuweilen wird behauptet, die *Ilias* sei die Geschichte des Trojanischen Krieges. Doch obgleich die Kriegsereignisse über das gesamte Epos hinweg breiten Raum einnehmen, ist sein eigentliches Thema begrenzter – wie die ersten Zeilen verkünden:

> Göttin, singe mir nun des Peleussohnes Achilleus
> Unheilbringenden Zorn, der tausend Leid den Achäern
> Schuf und viele stattliche Seelen zum Hades hinabstieß
> Der Heroen, sie selbst zur Beute machte den Hunden
> Und den Vögeln zum Fraß – Zeus' Ratschluß ging in Erfüllung –,
> Seit die beiden zuerst sich in Streit und Hader entzweiten,
> Atreus' Sohn, der Gebieter im Heer, und der edle Achilleus.
> (1–7)

Die Geschichte der *Ilias* ist also die Geschichte des Achilleus und seines Streites mit Agamemnon. Zu Beginn der *Ilias* stehen die Griechen schon seit neun Jahren vor Troja. Sie haben bereits einen Großteil der Umgebung der Stadt erobert und sich mit allen Trojanern, die sich hinter ihren massiven Befestigungsmauern hervorwagten, kleinere Scharmützel geliefert. Die Griechen waren des Feldzugs allmählich überdrüssig und darüber verärgert, daß es ihnen nicht gelang, einen entscheidenden Sieg über Troja selbst zu erringen, als Achilleus mit Agamemnon in einer Ehrensache Streit bekam.

Agamemnon war als Anteil an der Beute aus einem Streifzug, in dem Achilleus die führende Rolle gespielt hatte, ein Mädchen namens Chryseïs zugesprochen worden. Chryseïs war die Tochter des Apollonpriesters Chryses, der Agamemnon ein hohes Lösegeld für ihre Freilassung bot. Der Heerführer der Griechen weigerte sich jedoch, sie herauszugeben. Chryses betete zu seinem Gott, der daraufhin eine Pestepidemie über das griechische Feldlager hereinbrechen ließ. Der Seher Kalchas erklärte, nur wenn Agamemnon Chryseïs zu ihrem Vater zurückkehren ließe, fände die Heimsuchung ein Ende. Achilleus befürwortete die Rückgabe, Agamemnon sträubte sich. Es kam zu einer Auseinandersetzung zwischen den beiden. Schließlich willigte Agamemnon ein, zu tun, was von ihm verlangt wurde; doch um seine Autorität über Achilleus auf die denkbar beleidigendste Art und Weise wiederherzustellen und zum Ausgleich für den Verlust von Chryseïs (die er, wie er selbst sagte, seiner eigenen Gemahlin Klytaimnestra vorgezogen hatte), nahm er sich einfach Achilleus' Konkubine Briseïs. Achilleus war mit Recht außer sich. Agamemnons Vorgehen war nicht nur eine Ehrenkränkung für ihn, sondern zudem äußerst ungerecht, da es zum größten Teil seinem, Achilleus', Kampfeinsatz zu verdanken war, daß ihnen all die Schätze und Beutestücke in die Hände gefallen waren, auf die Agamemnon glaubte Anspruch erheben zu dürfen. Achilleus zog sich erbost und gekränkt in sein Zelt zurück und nahm von da an weder am Kampf noch an den Beratungen teil. Die Kampfhandlungen wurden heftiger, es kam verstärkt zu direkten Angriffen auf Troja und die Trojaner. Doch die Griechen gerieten ohne ihren hervorragendsten Kämpfer bald in schwere Bedrängnis, und selbst Agamemnon sah sich gezwungen, Achilleus Avancen zu machen: Er bot ihm Reichtümer aller Art und sogar Briseïs' Rückgabe an. Achilleus lehnte jedoch alle Bitten brüsk ab und erklärte, selbst wenn Agamemnons Geschenke so zahlreich wären, »als Körner im Sand und im Staub sind« (*Ilias* 9,385), würde er sich nicht zu einer Wiederaufnahme des Kampfes überreden lassen.

Zu diesem Zeitpunkt brachen Odysseus und Diomedes zu einer nächtlichen Expedition auf, um zu erkunden, was ihre Gegner vorhatten. Zufällig war ein Trojaner namens Dolon in der gleichen Nacht mit einem ähnlichen Auftrag ausgesandt worden. Die Griechen überraschten ihn und zwangen ihn, die Stellungen des trojanischen Lagers preiszugeben. Auf seinen Rat hin beendeten

Odysseus, Diomedes und Dolon
Die griechischen Heroen Odysseus und Diomedes überraschen den trojanischen Spion Dolon in der Dunkelheit. Der Maler hat das Thema als Burleske behandelt, die Gesichtszüge der drei und ihr vorsichtiges Anschleichen zwischen den Bäumen sind grotesk karikiert. Lukanischer rotfiguriger Kalyxkrater (Weinschale), um 410–400 v. Chr.

Odysseus und Diomedes ihren nächtlichen Ausflug mit einem Angriff auf das Feldlager des Thrakerkönigs Rhesos, mit dessen herrlichen Pferden sie ins griechische Lager entkamen.
Trotz des Erfolgs dieses wagemutigen Streifzugs war den Griechen das Kriegsglück im Kampf insgesamt weniger hold. Sie wurden von den Trojanern zu ihren Schiffen zurückgedrängt und befanden sich in einer verzweifelten Lage, als Patroklos seinen Freund Achilleus aufsuchte und diesen um die Erlaubnis bat, Achilleus' Soldaten, die Myrmidonen, in die Schlacht zu führen. Er fragte auch, ob er Achilleus' Rüstung tragen dürfe, um in den Reihen der Trojaner, die ihn dann für Achilleus halten würden, Angst und Schrecken zu verbreiten. Achilleus willigte ein, und Patroklos stürzte sich ins Kampfgetümmel. Er kämpfte lange und ruhmreich, ehe er, wie vorherzusehen war, von Hektor, dem Sohn des Priamos und besten Kämpfer auf trojanischer Seite, getötet wurde.

Also entriß dem Menoitiossohn, der so viele getötet,
Hektor, Priamos' Sohn, mit dem Speer aus der Nähe das Leben.
Und sich rühmend rief er ihm zu die gefiederten Worte:
»Ja, Patroklos, du dachtest wohl schon, unsre Stadt zu verheeren
Und den troischen Frauen den Tag der Freiheit zu rauben
Und sie zu Schiff zu führen zum lieben Lande der Väter.
Narr! Denn ihnen zum Schutze greifen die Pferde, die schnellen,
Hektors aus mit den Füßen zum Kampf, und ich selbst mit der Lanze
Tu es den wehrhaften Troern zuvor, den Tag der Bezwingung
Abzuwehren. Dich aber werden die Geier hier fressen.
Armer, nicht hat dir, so tapfer er ist, geholfen Achilleus,
Sondern er blieb und trug dir gewiß oft auf, als du fortgingst:
›Kehre mir nicht zurück, Patroklos, Kämpfer zu Wagen,
Zu den gewölbten Schiffen, eh du den blutigen Leibrock
Hektor, dem Männertöter, um seine Brust nicht zerfetzt hast.‹
So hat er dir wohl gesagt und hat dich Toren beredet.«

Schwach bei Kräften sagtest du, Kämpfer zu Wagen, Patroklos:
»Jetzt schon, Hektor, rühme dich groß, denn dir hat gegeben
Zeus, der Kronide, den Sieg und Apollon, die mich bezwangen
Leicht, denn sie haben mir selbst von den Schultern die Waffen genommen.
Wären mir solche wie du auch zwanzig entgegengetreten,
Alle hier wären vernichtet, von meinem Speere bezwungen.
Mich aber tötete Letos Sohn und das grausame Schicksal,
Und von den Männern Euphorbos; doch du erlegst mich als dritter.
Doch etwas anderes sage ich dir, du bewahr es im Herzen:
Schwerlich lebst du wohl selber noch lange, sondern es wartet
In deiner Nähe bereits der Tod und das mächtige Schicksal,
Von des Achilleus Händen bezwungen, des Aiakosenkels.«
Als er so sprach, umfing ihn bereits das Ende des Todes [...].
(16,827–855)

Übermannt vom Kummer über den Tod des Freundes, war Achilleus bereit, sich erneut in den Kampf zu stürzen.

Gleich jetzt möchte ich sterben, weil ich nicht imstande gewesen,
Meinem Gefährten, der fiel, zu helfen; sehr fern von der Heimat
Ging er zugrund, und ich war nicht da als Wehrer des Unheils.
Jetzt, da ich heim nicht kehre zum lieben Lande der Väter
Und dem Patroklos nicht und nicht den andern Gefährten
Wurde zum Heil, denn viele erlagen dem göttlichen Hektor,
Sondern ich sitz bei den Schiffen als nutzlose Last für die Erde,
Ich, als einer, wie keiner der erzgeschirmten Achäer
In der Schlacht; doch im Rate sind auch andere besser. –
Wenn doch der Streit von den Göttern und von den Menschen verginge
Und der Zorn, der selbst den Verständigen treibt, daß er bös wird,

Und der noch viel süßer als niedergleitender Honig
Sich in der Brust der Männer vermehrt, wie Rauch, wenn er aufquillt;
So hat mich nun erzürnt Agamemnon, der Herrscher der Männer.
Aber das vorher Geschehne lassen wir, wenn auch bekümmert,
Notgedrungen den Mut im eigenen Herzen bezwingend. –
Nun geh ich hin, den Vernichter des lieben Hauptes zu treffen,
Hektor, und nehme das Todeslos entgegen, wann immer
Zeus es vollenden will und die andern unsterblichen Götter.

(18,98–116)

Achilleus' Mutter, die Meeresnymphe Thetis, die sein Jammern und Klagen hörte, eilte zu ihrem Sohn und versprach ihm neue Waffen als Ersatz für jene, die mit Patroklos verlorengegangen waren. Zu der neuen, vom Schmiedegott Hephaistos angefertigten Rüstung gehörte auch ein herrlicher Schild mit kunstvoll gestalteten Szenen von Städten im Frieden und im Krieg sowie aus dem Landleben mit Schaf- und Viehherden und ländlichen Tänzen. Um den Schildrand verlief als schimmerndes Band der Fluß Okeanos. Achilleus und Agamemnon legten ihren Streit bei, und Achilleus kehrte auf das Schlachtfeld zurück, wo er unter den Trojanern ein wahres Blutbad anrichtete:

So wie in tiefen Schluchten des ausgedörrten Gebirges
Loderndes Feuer wütet und tief hinein in den Wald brennt
Und überall der tosende Wind die Flammen hin wirbelt:
Also tobte er da mit der Lanze, gleich einem Dämon,
Überall tötend und folgend; es strömte vom Blute die Erde.

(20,490–494)

Nachdem er viele Trojaner niedergemacht und sogar den Angriff des Flusses Skamander überlebt hatte, der versuchte, ihn in seinen haushohen Wellen zu ertränken, kam es schließlich zur Begegnung zwischen Achilleus und seinem Todfeind, Hektor.
Die Trojaner waren vor Achilleus' Ansturm geflüchtet und hatten

Neue Waffen für Achilleus
Die Meeresnymphe Thetis übergibt ihrem Sohn Achilleus die von Hephaistos geschmiedete neue Rüstung als Ersatz für diejenige, die Hektor nach Patroklos' Tod an sich genommen hatte. Etruskischer Bronzewagen, 6. Jh. v. Chr.

innerhalb der Stadtmauern Zuflucht gesucht, einzig Hektor harrte vor den Toren aus – in Erwartung des Zweikampfes, den er, wie er wußte, auszutragen hatte. Doch als der rasende Achilleus dann auftauchte, wurde Hektor von verständlicher Angst übermannt und ergriff die Flucht. Dreimal umrundeten sie die Stadtmauern Trojas, ehe Hektor stehenblieb und sich tapfer seinem Gegner stellte. Dem ersten Speer, den Achilleus schleuderte, vermochte er auszuweichen, doch auch seine Lanze verfehlte ihr Ziel. Achilleus zweiter Angriff traf: der Speer blieb in Hektors Hals stecken, und Hektor viel zu Boden. Kaum mehr in der Lage zu sprechen, bat er seinen Bezwinger, er möge gestatten, daß sein Leichnam von seinen Eltern freigekauft würde, doch Achilleus, noch immer wütend auf den Mann, der Patroklos getötet hatte, wies die Bitte verächtlich zurück und schändete nach Hektors Tod dessen Leichnam hemmungslos: Zunächst schleifte er ihn an den Füßen hinter seinem Kampfwagen um die Stadtmauern, damit ganz Troja es sehen konnte, dann brachte er ihn ins griechische Lager, wo er ihn unbeachtet und unbeweint liegen ließ.
Nun ordnete Achilleus ein prachtvolles Begräbnis für Patroklos an. Ein riesiger Scheiterhaufen, »je hundert Fuß hierhin und dort-

Die Schleifung des Hektor
Achilleus schleift den Leichnam Hektors an seinem Streitwagen hinter sich her. Attische schwarzfigurige Lekythos (Salbgefäß), 6. Jh. v. Chr.

hin« (*Ilias* 23,164), wurde errichtet; Schafe und Rinder wurden geschlachtet und ihre Kadaver um den Leichnam des toten Helden aufgeschichtet. Amphoren mit Honig und Salböl wurden beigegeben, vier Pferde und zwei von Patroklos' Hunden daraufgeworfen. Zum Schluß wurden noch zwölf trojanische Gefangene am Scheiterhaufen geopfert, dann wurde er angezündet. Er brannte die ganze Nacht, und die ganze Nacht über brachte Achilleus Weinopfer,

> Immer wieder die Seele rufend des armen Patroklos.
> So wie ein Vater klagt, seines Sohnes Gebeine verbrennend,
> Welcher neuvermählt starb, die armen Eltern bekümmernd:
> Also klagte Achill, des Gefährten Gebeine verbrennend,
> Und umschlich den Scheiterhaufen mit häufigem Stöhnen.
> (23,221–225)

Am nächsten Tag wurden Patroklos' Gebeine eingesammelt und in eine goldene Urne gelegt. An der Stelle, wo sich der Scheiterhaufen befunden hatte, ließ Achilleus einen hohen Grabhügel errichten. Leichenspiele mit Wagenrennen und Wettkämpfen im Boxen, Ringen, Laufen, bewaffneten Kampf, Diskuswerfen und Bogenschießen, bei denen es herrliche Preise zu gewinnen gab, wurden veranstaltet. Und zwölf Tage lang schleifte Achilleus jeden Morgen Hektors Leichnam dreimal um den Grabhügel, bis selbst die Götter, die all das ja vorhergesehen und arrangiert hatten, entsetzt waren. Zeus sandte Iris, die Botin der Götter, nach Troja, wo sie Priamos aufsuchen und ihn anweisen sollte, sich heimlich mit einem hohen Lösegeld ins griechische Lager zu begeben. Achilleus würde es annehmen und dem König den Leichnam seines Sohnes übergeben.

Also machte sich Priamos, von einem einzigen Herold begleitet, auf den Weg. Als er sich in der Dämmerung den griechischen Schiffen näherte, traf er auf den als Gefolgsmann des Achilleus verkleideten Hermes, der ihn durch das Lager geleitete, so daß Priamos unentdeckt Achilleus' Hütte erreichte. Priamos trat sogleich ein und warf sich Achilleus zu Füßen.

Priamos vor Achilleus
Priamos kommt in das Zelt des Achilleus, der zu Tisch liegt, um von ihm die Auslösung von Hektors Leichnam zu erflehen. Attischer rotfiguriger Skyphos (Trinkbecher), 5. Jh. v. Chr.

»Denke an deinen Vater, du göttergleicher Achilleus,
Der so alt ist wie ich, an des Alters verderblicher Schwelle.
Und es könnte wohl sein, daß Umwohner ihn da bedrängen,
Und es findet sich keiner, der Not und Verderben ihm abwehrt.
Aber wahrhaftig, wenn er dann hört, du seist noch am Leben,
Freut er in seinem Mut sich und hofft darauf alle die Tage,
Seinen geliebten Sohn aus Troja kommen zu sehen.
Aber ich ganz Unselger; da zeugte ich Söhne, die Besten
In dem geräumigen Troja, und keiner ist, sag ich, geblieben.
Fünfzig hatte ich einst, als die Söhne der Danaer kamen;
Neunzehn hatte der Leib von einer Mutter geboren,
Aber die andren gebaren mir in den Hallen die Frauen.

Vielen von ihnen löste der stürmische Ares die Glieder;
Doch der mein einziger war und selber die Stadt mir beschützte,
Diesen erschlugst du jüngst, als er für das Vaterland kämpfte,
Hektor; und seinethalb komme ich her zu den Schiffen Achaias,
Ihn von dir loszukaufen mit unermeßlichen Gaben.
Scheue du aber die Götter, Achilleus, erbarme dich meiner,
Deines Vaters gedenkend. Ich bin erbarmungswürdig;
Denn ich erdulde, was nie ein anderer Mensch noch erduldet,
Daß ich die Hand des Manns, der den Sohn mir mordete, küßte.«
Sprach's und erweckte die Sehnsucht in ihm, um den Vater zu klagen.
Und er ergriff seine Hand und stieß sacht von sich den Alten.
Beide gedenkend, der eine des männertötenden Hektor
Weinte bewegt, vor den Füßen niedergebeugt des Achilleus,
Aber Achilleus weinte um seinen Vater, dann wieder
Um Patroklos, und Stöhnen erhob sich von ihnen im Hause.
Als dann die Klage gestillt der göttergleiche Achilleus
Und aus der Brust ihm wich die Sehnsucht und aus den Gliedern,
Sprang er auf von dem Thron und zog den Greis an der Hand hoch,
Sich des grauen Hauptes erbarmend und Kinnes, des grauen [...].

(24,486–516)

Achilleus befiehlt, den Leichnam Hektors zu waschen und zu salben.

Als ihn die Mägde gewaschen und ihn gesalbt mit dem Öle,
Warfen um ihn sie ein schönes, großes Tuch und den Leibrock,
Und Achilleus hob und legte ihn selbst auf das Lager,
Und ihn hoben vereint die Gefährten empor auf den Wagen.
Klagend rief er darauf bei Namen den lieben Gefährten:

»Sei mir nicht gram, Patroklos, wenn erfahren du solltest,
Sei es auch drunten im Hades, daß ich den göttlichen Hektor
Für seinen Vater löse, er gab mir geziemende Lösung.
Dir auch geb ich davon einen Teil, soviel sich gebühret.«
Sprach es und kehrte zurück ins Zelt, der edle Achilleus,
Setzte sich dann auf den kunstvollen Stuhl, von dem vorher er aufstand,
An der anderen Wand, und zu Priamos sprach er die Worte:
»Wahrlich, dein Sohn ist gelöst, o Alter, wie du gefordert,
Und er liegt auf dem Lager; sobald sich sehn läßt das Frührot,
Wirst du ihn führen und sehn; doch jetzt laß uns denken ans Nachtmahl.

(24,587–601)

Hektors Leichnam wurde nach Troja zurückgebracht, wo er beweint und mit den entsprechenden Riten bestattet wurde.

Hier endet die *Ilias*, doch es ist keineswegs das Ende der Geschichte um Troja. Das weitere Geschehen wird zum Teil in der *Odyssee*, zum Teil von den Tragödiendichtern erzählt, aber auch von späteren römischen Schriftstellern, insbesondere von Vergil in der *Aeneis*, und verschiedenen späteren Dichtern wie Quintus Smyrnaeus. Nach Hektors Tod kam den Trojanern eine Reihe von Verbündeten zu Hilfe, darunter die Amazonen unter ihrer Königin Penthesileia und die Äthiopier, angeführt von Memnon, einem Sohn der Eos, der Göttin der Morgenröte. Sowohl Penthesileia als auch Memnon wurden von Achilleus getötet. Doch Achilleus hatte von Anfang an gewußt, daß es ihm selbst bestimmt war, in Troja, fern der Heimat, zu sterben. Das Schicksal ereilte ihn schließlich in Form eines von Paris abgeschossenen Pfeiles. Achilleus' Mutter, Thetis, hatte, in ihrem Bestreben, ihren Sohn unsterblich zu machen, den Säugling einst in die Unterwelt mitgenommen und ihn in das Wasser des Flusses Styx getaucht; dadurch wurde sein Körper unverwundbar – mit Ausnahme der Ferse, an der sie ihn festgehalten hatte; genau dort aber traf ihn der verhängnisvolle Pfeil.

Der Tod der Penthesileia
Achilleus hat die Amazonenkönigin bezwungen und stößt ihr, als sie zu ihm aufblickt, die Lanze in den Hals. Die Grausamkeit der Tat wird dadurch unterstrichen, daß ihr Gesicht und ihr Hals nackt und wehrlos dargestellt sind, während Achilleus durch den Helm, der nur die Augen frei läßt, geschützt ist. Nach einer Version der Überlieferung sollen sich in diesem Moment ihre Blicke getroffen und Achilleus und die Königin ihre Liebe zueinander – zu spät – entdeckt haben. Attische schwarzfigurige Amphora (Weinkrug), um 540 v. Chr.

Die Eroberung Trojas

Nach dem Tod ihres größten Kriegers griffen die Griechen zu einer List, um Troja doch noch zu erobern, das ihrer Belagerung zehn lange Jahre widerstanden hatte. Das Hölzerne Pferd soll Odysseus' Idee gewesen sein, für den Bau war der geschickte Handwerker Epeios verantwortlich. Nach seiner Fertigstellung kletterten einige der tapfersten Griechen hinein, darunter Odysseus und Neoptolemos, der Sohn des Achilleus. Die restliche griechische Streitmacht verbrannte ihre Hütten und stach in See, fuhr aber nur bis zur nahegelegenen Insel Tenedos, wo sie ihre Schiffe auf den Strand laufen ließ und abwartete. Die Trojaner, die kaum zu glauben wagten, daß die Griechen tatsächlich abgezogen waren, strömten aus der Stadt, »die verlassenen Plätze zu schaun und das einsame Ufer« (*Aeneis* 2,28), und bewunderten das riesige Pferd, das sie dort fanden. Bald stießen einige Schafhirten auf einen einzelnen Griechen namens Sinon, der zurückgelassen worden war. Sinon behauptete, seine Landsleute hätten ihn opfern wollen, um günstigen Wind für ihre Reise zu erbitten, und nur mit größter Mühe habe er entkommen können. Diese Geschichte erregte bei den Trojanern Mitleid, so daß sie auch den Rest seines Berichts bereitwillig glaubten. Er sagte, die Griechen hätten in dem Glauben, Athene habe sich von ihnen abgewandt, beschlossen heimzukehren und zu versuchen, wieder in den Genuß der göttlichen Gunst zu gelangen, deren sich ihr Feldzug ursprünglich erfreut hatte. Sie hätten das Pferd gebaut, um Athene zu besänftigen, und sie hätten es absichtlich groß gemacht, damit die Trojaner es nicht hinter ihre Stadtmauern bringen könnten. Würde das Pferd in die Stadt gebracht, könnte sie nämlich niemals eingenommen werden; bliebe es dagegen vor ihren Mauern, würden die Griechen mit Sicherheit zurückkehren und die Stadt dem Erdboden gleichmachen.

Einige wenige Trojaner mißtrauten dem Pferd und wollten es nur ungern innerhalb der Stadtmauern sehen. Priamos' Tochter Kassandra, die Seherin, deren Schicksal es war, daß ihre Prophezeiungen niemals geglaubt wurden, warnte vor dem Tod und der Zerstörung, die Troja drohten, falls das Pferd in die Stadt gebracht würde. Und Laokoon, der Priester Poseidons, erklärte, er fürchte die Griechen, »selbst wenn sie Geschenke brächten« (*Aeneis* 2,49), und stieß eine Lanze in die Flanke des Tieres; die Erschütterung ließ die Waffen der darin Verborgenen metallisch erklingen, doch die verblendeten Trojaner erkannten die Warnung nicht. Als der Priester später ein Opfer für den Gott vorbereitete, dem er diente, schossen zwei große Schlangen aus dem Meer, erwürgten zunächst seine beiden jungen Söhne und danach ihn selbst, ehe sie weiterglitten, um unter dem Altar der Athene Zuflucht zu suchen. Diesen Vorfall interpretierten die verängstigten Trojaner als Strafe für Laokoon, der Athene mit seinem Angriff auf ihr Geschenk

Laokoon und seine Söhne
Der Priester Laokoon wird mit seinen Söhnen am Altar der Athene von zwei Riesenschlangen getötet. Marmorgruppe aus einem römischen Kaiserpalast, 1. Jh. v. Chr.

verärgert habe. Augenblicklich machten sie sich daran, das riesige Pferd in die Stadt zu ziehen, und durchbrachen dazu sogar ihre Befestigungsmauern. Aber selbst dann gerieten die griechischen Helden noch einmal in Gefahr, entdeckt zu werden, denn Helena bestand darauf, sich das Pferd anzusehen, und während sie um das hölzerne Ungetüm herumging, rief sie die Namen der griechischen Helden, wobei sie die Stimme der jeweiligen Gattin nachahmte. Einige der Männer waren versucht zu antworten, doch Odysseus besaß die Geistesgegenwart, ihnen den Mund zuzuhalten.

Bei Einbruch der Dunkelheit gab der verräterische Sinon der griechischen Flotte auf Tenedos ein Zeichen, die daraufhin leise zu

Das Hölzerne Pferd
Dies ist die älteste bekannte Darstellung des Pferdes. Der Künstler hat es mit Rädern versehen, und an den Seiten sind Luken angebracht, durch die die Krieger heraussehen konnten. Einige schwingen drohend ihre Waffen durch die Luken, während andere das Pferd bereits verlassen haben. Reliefpithos (großes Vorratsgefäß) aus Mykonos, 650–600 v. Chr.

ihrem alten Ankerplatz zurückkehrte; Sinon ließ auch die Helden aus ihrem Versteck, die die Wachen niedermetzelten und die Tore für ihre Gefährten von den Schiffen öffneten. Damit stand der Eroberung Trojas nichts mehr im Wege. Unsanft wurden seine Bewohner aus dem Schlaf gerissen und mußten feststellen, daß ihre Stadt in Flammen stand. Die Männer kämpften verzweifelt, entschlossen, ihr Leben wenigstens teuer zu verkaufen.

Wer doch könnte das Morden und all' die Leichen beschreiben
Dieser Nacht, wer fände der Tränen genug für das Elend?
Uraltes Troja, es stürzt, das so viele der Jahre geherrscht hat!
Zahllos liegen auf Straßen ermordet die wehrlosen Körper,
In den Häusern und selbst auf geweihten Schwellen der Götter.
Doch, es büßen nicht nur die Teukrer allein mit dem Blute,
Manchmal kehrt noch zurück der Mut ins Herz der Besiegten:
Auch der siegende Danaer fällt. Rings grausamer Jammer,
Rings Entsetzen und Angst und Tod in tausend Gestalten.

(*Aeneis* 2,361–369; Übersetzung von Wilhelm Plankl und Karl Vretska)

Am mitleiderregendsten war das Ende des Priamos, der vor dem Altar im Hof seiner Burg von Neoptolemos ermordet wurde, dem Sohn des Mannes, der seinen Sohn Hektor getötet hatte. Zu den wenigen, denen die Flucht aus Troja gelang, zählte Aeneas, der Sohn des Anchises und der Göttin Aphrodite. Von seiner Mutter gewarnt, verließ er die Stadt mit seinem kleinen Sohn Ascanius und seinem betagten Vater Anchises und vergaß auch die Schutzgötter Trojas nicht; seine Frau Creusa ging hinter ihnen, doch verlor er sie in dem Chaos, der Dunkelheit und den Trümmern der sterbenden Stadt. Aeneas selbst war es bestimmt, nach langen Irrfahrten Italien zu erreichen, wo er ein neues und größeres Troja gründete, die Vorläuferin Roms.
Die Abenteuer, die die griechischen Helden auf ihren Heimfahrten von Troja zu bestehen hatten, und der unterschiedliche Empfang, den man ihnen in der Heimat bereitete, wurden in einer Reihe von Epen festgehalten, die als *Nostoi* (»Heimkehrerepen«) bekannt

sind. Von diesen ist lediglich die *Odyssee*, in der die Rückkehr des Odysseus in seine Heimat Ithaka besungen wird, erhalten geblieben; die Heimkehr der anderen Helden muß aus einer Reihe späterer Quellen erschlossen werden. Wir werden uns Odysseus zuwenden; zuvor wollen wir jedoch noch kurz berichten, wie es Agamemnon, dem Oberbefehlshaber der Griechen und König von Mykene, bei seiner Rückkehr erging.

Die Heimkehr des Agamemnon

Agamemnon und Menelaos waren die Söhne des Atreus, der ein schreckliches Verbrechen begangen hatte, als er, während eines Familienstreits, seinem eigenen Bruder Thyestes ein aus den zerstükkelten Körpern von dessen Kindern zubereitetes Gericht vorsetzte. Diese Tat brachte einen Fluch über das Haus des Atreus, und das Schicksal, das Agamemnon bei seiner Rückkehr aus Troja erwartete, war zum Teil eine Vergeltung für das ursprüngliche Verbrechen seines Vaters. Während Agamemnons zehnjähriger Abwesenheit aus Mykene lag die Herrschaft in den Händen seiner Gemahlin Klytaimnestra, der ihr Liebhaber Aigisthos zur Seite stand, der einzige überlebende Sproß des Thyestes. Eine Kette von Wachtfeuern hatte die Nachricht vom großen Sieg in Troja auf dem griechischen Festland verkündet, und als Agamemnon Mykene erreichte, waren Klytaimnestras Pläne schon weit gediehen.
Sie empfing ihren Gatten vor dem Palasteingang und bestand darauf, daß er über die Purpurtücher, die sie vor ihm ausgebreitet hatte, im Triumph in seinen Palast einziehe. Agamemnon widerstrebte ein solcher Akt der Anmaßung, denn eine solche Ehrung stand seiner Meinung nach nur den Göttern zu. Schließlich gab er aber doch nach und besiegelte damit sein Schicksal. Während nach Homer Aigisthos den Heimgekehrten bei einem Festmahl tötete, besagen andere Quellen, daß Klytaimnestra ihn, als er wehrlos im Bade saß, umbrachte, indem sie zunächst ein schleierähnliches Gewand über ihn warf, ehe sie ihn brutal mit einer Axt erschlug. Ihre Motive für diesen grausamen Mord waren vielschichtig, doch

Agamemnons Tod
Agamemnon ist in einem schleierähnlichen Gewand gefangen, in dem er sich nicht verteidigen kann. Blut strömt schon aus einer Wunde in seiner Brust, als er nach hinten gegen Klytaimnestra fällt, während Aigisthos sich bereitmacht, ihm den Todesstoß zu versetzen. Attischer rotfiguriger Kalyxkrater (Weinschale), um 500–480 v. Chr.

scheint es fast, als seien es weniger ihre schuldbeladene Leidenschaft für Aigisthos und ihr Verlangen, das Unrecht gerächt zu sehen, das dessen Vater und Brüdern widerfahren war, als vielmehr ihr Haß auf Agamemnon gewesen, die sie zu diesem Mord trieben. Er hatte ihren ersten Gatten und ihr erstes Kind vor ihren Augen brutal ermordet; er hatte ihre gemeinsame Tochter Iphigenie in Aulis geopfert. Sie wollte Rache.

Der Fluch, der auf dem Haus des Atreus lastete, starb nicht mit Agamemnon, denn er und Klytaimnestra hatten zwei weitere Kinder, die nur darauf warteten, den Tod ihres Vaters zu rächen – Orest und Elektra. Orest war bereits als kleines Kind von seiner Schwester aus Mykene ins sichere Phokis geschickt worden, um ihn vor ihrer ränkevollen Mutter zu schützen. Elektra selbst blieb zu Hause und wurde von Klytaimnestra und Aigisthos sehr schlecht behandelt; in einigen Versionen der Geschichte wird berichtet, sie sei an einen Bauern verheiratet worden, damit ihre Nachkommen nicht mehr königlicher Abstammung wären. Orest kehrte als junger Mann in Begleitung seines Freundes Pylades heimlich nach Mykene zurück. Als er das Grab seines Vaters aufsuchte und ein paar Haarlocken darauf niederlegte, wurde er von Elektra erkannt, die von ihrer Mutter geschickt worden war, um ein Versöhnungsopfer darzubringen; Klytaimnestra hatte nämlich einen Alptraum gehabt, in dem sie eine Schlange geboren hatte, die an ihrer Brust getrunken und ihr dabei das Blut ausgesaugt hatte. Nicht zu Unrecht bezog Orest diesen Traum auf sich, und nach langer, qualvoller Diskussion über die Verwerflichkeit eines Muttermords überredete Elektra ihren Bruder dazu, ihre Mutter und auch Aigisthos zu töten. Für diese schreckliche Tat wurde er von den Erinnyen in den Wahnsinn getrieben, die ihn verfolgten, bis er vor einem Tribunal auf dem zu diesem Zweck erstmals eingesetzten Aeropag in Athen mit der Begründung freigesprochen wurde, Muttermord sei ein weniger schweres Verbrechen als Gattenmord. Damit war der Fluch gebannt, der auf dem Haus des Atreus gelastet hatte. Die eindrucksvollen Plädoyers des Apollon und der Athene geben im letzten Teil von Aischylos' *Orestie* den Ausschlag:

Apollon

Ich sage dies noch – wie gerecht es ist, erkenn's!
Die Mutter bringt, was uns ihr Kind heißt, nicht hervor.
Sie ist nur frisch gesäten Keimes Nährerin,
Der sie befruchtet, zeugt. Sie, wie der Wirt den Gast,
Beschützt, sofern kein Gott es schädigt, nur das Gut.
Für diese Rede leg ich den Beweis euch vor.
Es gibt auch ohne Mutter Vaterschaft. Hier steht
Als Zeuge da die Tochter des Olympiers Zeus,
Die, nicht genährt in eines Schoßes Finsternis,
Doch herrlich ist wie keiner Göttin leiblich Kind.
Ich aber, wie ich sonst vermag, o Pallas, will
Dir deine Stadt erhöhen und dein Volk. So hab
Ich ihn gesandt, daß er in deinem Hause Schutz
Begehre und dir immer treu verbunden sei,
Und du, o Göttin, ihn als Waffenfreund gewinnst,
Und alle Späteren, und bestehe ewiglich,
Daß treu das Bündnis wahre sein gesamter Stamm.

(657–673; Übersetzung von Emil Staiger)

Athene

Das letzte Urteil auszusprechen ist mein Amt,
Und für Orestes geb ich meine Stimme ab.
Weiß ich von keiner Mutter doch, die mich gebar.
Dem Männlichen gehört mein ganzes Wesen an –
Nur nicht der Ehe. Meines Vaters Kind bin ich.
So fällt für mich nicht schwerer ins Gewicht der Tod
Der Frau, die ihren Mann erschlug, des Hauses Haupt.
Auch wenn die Zahl der Stimmen gleich ist, siegt Orest.
Nun schüttet rasch die Lose aus den Urnen aus,
Ihr, von den Richtern eingesetzt zu dem Geschäft.

(734–743)

Die Geschichte des Odysseus

Bereits vor seinem Aufbruch nach Troja wußte Odysseus, daß zwanzig Jahre vergehen würden, ehe er wieder auf das felsige Ithaka, zu seinem Sohn Telemach und seiner Gemahlin Penelope zurückkehren konnte. Zehn Jahre verbrachte er vor Troja, weitere zehn Jahre durchpflügte er die Meere, schiffbrüchig, nach und nach aller seiner Gefährten beraubt, oft am Rande des Todes, bis er im zwanzigsten Jahr erneut an den Gestaden seiner Heimatinsel an Land ging.

Die Zyklopen

Nachdem Odysseus und seine Gefährten Troja verlassen hatten, kam es zunächst zu einer Begegnung mit den Kikonen, deren Stadt Ismaros an der Südwestküste Thrakiens sie zwar eroberten, dabei jedoch schwere Verluste hinnehmen mußten. Danach liefen sie Gefahr, weitere Männer aus ihren Reihen an die Lotosesser zu verlieren, Hedonisten, die nichts anderes taten, als dazusitzen und die köstlichen Früchte zu essen, welche sie alle Sorgen und Verantwortung vergessen ließen. Odysseus mußte die ausgeschickten Kundschafter, die von der Lotosfrucht gekostet hatten, mit Gewalt auf die Schiffe zurückbringen lassen, und kaum hatten sie sich von diesem Abenteuer erholt, da hatten sie schon das nächste zu bestehen – die Begegnung mit dem Zyklopen Polyphem.
Die Zyklopen waren ein Stamm einäugiger Riesen, die ein fruchtbares Land bewohnten, wo der Boden von selbst überreiche Ern-

ten hervorbrachte und nahrhafte Weiden für fette Schafe und Ziegen mit dicken Fellen bot. Begierig, die Bewohner eines solchen Landes kennenzulernen, fuhr Odysseus mit einem Schiff in den Hafen, ging von Bord und kletterte mit einem Teil seiner Mannschaft zur Höhle des Zyklopen Polyphem hinauf. Polyphem, ein Sohn des Poseidon, war draußen auf der Weide und hütete seine Schafe. Odysseus und seine Leute machten es sich bequem und warteten, bis er in der Dämmerung mit seinen Herden zurückkehrte. Der Zyklop war riesengroß, ungestalt und furchterregend, und nach einigen oberflächlichen Erkundigungen über Herkunft und Anliegen seiner unerwarteten Gäste griff er sich zwei von ihnen heraus und schmetterte sie auf den Boden, daß ihnen das Hirn herausspritzte, bevor er sie mit Haut und Haar verschlang. Danach fiel der Zyklop in tiefen Schlaf. Odysseus erwog, ihn zu erstechen, doch gab er diesen Gedanken rasch auf, als ihm klar wurde, daß ihnen dann eine Flucht unmöglich gewesen wäre, denn der Höhleneingang war mit einem riesigen Felsblock verschlossen, den zwar der Zyklop mit einer Hand hochheben konnte, aber selbst die vereinten Kräfte des Odysseus und seiner Gefährten nicht von der Stelle zu bewegen vermochten. Der Zyklop fraß zwei weitere von Odysseus' Männern zum Frühstück, ehe er die Höhle erneut verließ und mit dem riesigen Stein abermals sorgfältig verschloß. Der erfindungsreiche Odysseus hatte sich bald einen Plan für das weitere Vorgehen zurechtgelegt. Er spitzte einen großen Holzpfahl zu, der in der Höhle lag, und härtete dessen Spitze im Feuer.

Als Polyphem am Abend nach Hause kam, verschlang er abermals zwei von Odysseus' Gefährten. Daraufhin bot ihm Odysseus eine Schale starken Weins an, damit er seine Ration an griechischen Seeleuten hinunterspüle. Der Zyklop trank den Wein voller Begeisterung und verlangte dreimal, daß man ihm nachschenke. Bevor er einnickte, wollte er wissen, wie sein Gast heiße, und Odysseus antwortete, sein Name sei »Outis«, das griechische Wort für »Niemand«; der Zyklop versprach, daß er, als Gegenleistung für den Wein, den »Niemand« als letzten auffressen werde.

Sprach's und lehnte sich rückwärts und fiel hintüber; da lag er,
Drehte zur Seite den feisten Hals, ihn packte der Schlaf, der
Allbezwinger. Und Wein schoß aus seinem Schlunde hervor mit
Brocken von Menschenfleisch; er brach es heraus in dem Weinrausch.
Und da schob ich den Pfahl in den großen Haufen von Asche,
Daß er heiß darin werde, und allen Gefährten mit Worten
Machte ich Mut, auf daß nicht einer aus Furcht mir entweiche.
Als aber bald der Olivenpfahl im Feuer daran war
Aufzuflammen, so grün er war, er glimmte schon furchtbar,
Trug ich ihn nahe heran aus dem Feuer, doch die Gefährten
Stellten sich rings. Ein Dämon hauchte uns mächtigen Mut ein.
Die nun nahmen den Ölbaumpfahl, der am Ende gespitzt war,
Stießen ihn ein ins Aug; ich reckte mich hoch und ich drehte.
Wie wenn ein Mann einen Balken fürs Schiff durchbohrt mit dem Bohrer,
Aber die andern fassen von beiden Seiten den Riemen
Und ziehn hin und her; der läuft und dreht sich beständig;
So auch wirbelten wir den Pfahl mit der glühenden Spitze
Ihm im Auge herum, und Blut umströmte den heißen.
Alle die Wimpern rings und die Braue versengte die Glut des
Brennenden Augensterns; dessen Wurzeln zischten im Feuer.
Wie wenn ein Mann, ein Schmied, ein Doppelbeil oder ein Schlichtbeil
Glühend in kühles Wasser, das mächtig zischende, eintaucht,
Um es zu härten – denn das bewirkt die Stärke des Eisens –,
So um den Ölbaumpfahl, den glühenden, zischte sein Auge.

(*Odyssee* 9,370–393;
Übersetzung von Roland Hampe)

Der Zyklop, vom schrecklichen Schmerz unsanft aus dem Schlaf gerissen, brüllte und tobte und rief laut nach seinen Nachbarn, den anderen Zyklopen, um Hilfe. Doch als diese sich vor seiner Höhle versammelten und fragten, wer ihm Übles wolle, konnte er nur antworten: »Niemand«, worauf die anderen das Interesse verloren

Die Blendung des Zyklopen
Der riesige Zyklop sitzt am Boden, in der Hand noch den Weinbecher, den Odysseus mehrmals nachgefüllt hatte, um den Unhold trunken zu machen; sein Mund ist vor Schmerz aufgerissen, als Odysseus und seine Männer ihm den angespitzten Pfahl ins Auge stoßen. Protoattische Amphora (Weinkrug), um 700 v. Chr.

und weggingen – sehr zur Freude des Odysseus, »daß mein Name so gut getäuscht und der treffliche Einfall« (*Odyssee* 9,413).
Bei Tagesanbruch bereiteten Odysseus und seine Männer ihre Flucht aus der Höhle vor; jeweils ein Mann wurde unter drei großen Schafen festgebunden, während Odysseus sich selbst unter dem Leittier der Herde, einem riesigen Widder mit wunderbarem Vlies, festklammerte. Der geblendete Zyklop rollte den Stein zur Seite und setzte sich an den Höhleneingang, wo er versuchte, die Fremden abzufangen, wenn sie zwischen den Schafen ins Freie gelangen wollten, doch sie entkamen alle seinen tastenden Händen,

Odysseus entkommt aus der Höhle des Zyklopen
Odysseus klammert sich von unten an einen großen Widder, das Leittier von Polyphems Herde; auf diese Art gelangt er sicher durch den Höhleneingang ins Freie. Attische Lekythos (Salbgefäß), 6. Jh. v. Chr.

Odysseus als letzter. Nachdem sie die Schafe zu ihrem Schiff hinuntergetrieben hatten und an Bord gegangen waren, konnte Odysseus es sich nicht versagen, den Zyklopen zu verhöhnen, der daraufhin gewaltige Felsbrocken in die Richtung warf, aus der die Stimme kam. Einige davon verfehlten das Schiff nur knapp. So setzten sie rasch die Segel und kehrten zu den anderen Schiffen der Flotte zurück. Dort trösteten sich die Männer bei einem Festmahl, bei dem sie ebenjene Schafe verspeisten, mit deren Hilfe ihnen die Flucht aus der Höhle gelungen war, über den Verlust ihrer Gefährten hinweg.

Aiolia

Von der Insel der Zyklopen segelte Odysseus weiter, bis er die Insel Aiolia erreichte, deren König Aiolos von Zeus zum Hüter über alle Winde bestellt worden war. Aiolos und seine große Familie nahmen Odysseus und seine Mannschaft gastfreundlich auf, und als die Zeit ihrer Abreise gekommen war, schenkte Aiolos Odysseus einen Lederschlauch, in dem er alle stürmischen Winde eingesperrt hatte; dann rief er einen sanften Westwind herbei, der die Schiffe sicher nach Ithaka zurücktragen sollte. Zehn Tage segelten sie auf direktem Kurs nach Osten und befanden sich bereits in Sichtweite von Ithaka, als das Unglück sie ereilte. Odysseus war während der gesamten Reise wach geblieben, um selbst das Steuer zu führen; nun, scheinbar schon in Sicherheit, fiel er erschöpft in Schlaf. Seine Mannschaft, die nicht wußte, was sich in dem Lederschlauch befand, argwöhnte, er enthalte einen wertvollen Schatz, den Aiolos Odysseus geschenkt habe. Die Männer, die der Meinung waren, da sie Gefahr und Not mit ihrem Kapitän geteilt hatten, sollten sie auch an seiner Belohnung teilhaben, nutzten die Gelegenheit, um nachzusehen. Sie öffneten den Schlauch und ließen dabei die Winde frei. Odysseus erwachte inmitten eines heftigen Sturms, der das Schiff bis nach Aiolia zurücktrieb. Diesmal fiel der Empfang, der Odysseus und seinen Gefährten dort zuteil wurde, ganz anders aus. Sie baten den König, ihnen

Aiolos
Bei der männlichen Figur könnte es sich um Aiolos, den König der Winde handeln, der den Tanz der Wolken oder Winde dirigiert. Attische rotfigurige »Knöchelbein-Vase« (Funktion unklar), um 460–440 v. Chr.

noch einmal einen günstigen Wind zu schicken, doch der lehnte jede Hilfe ab. Mit dem Hinweis, Odysseus habe sich offenbar den Haß der Götter zugezogen und ihm sei es nicht erlaubt, einem solchen Menschen zu helfen, jagte er ihn und seine Schiffskameraden davon.

Circe

Als sie das nächstemal auf Land stießen, kam es zu der verhängnisvollen Begegnung mit den riesenhaften Laistrygonen, bei der alle Schiffe außer Odysseus' eigenem verlorengingen. Bekümmert und niedergeschlagen erreichten Odysseus und die kleine Schar seiner überlebenden Gefährten die Insel Aiaia. Nachdem sie von Bord gegangen waren, lagen sie zunächst zwei Tage und Nächte am Strand, völlig erschöpft von ihren Anstrengungen und betäubt von den Schrecken, die sie durchgemacht hatten. Am dritten Tag raffte sich Odysseus auf, die Insel zu erkunden. Von einer Hügelkuppe aus sah er von einem Haus im Wald Rauch aufsteigen. Wohlweislich beschloß er, das Gebäude nicht allein auszukundschaften, sondern kehrte zum Schiff zurück, um den anderen seine Entdeckung mitzuteilen. Angesichts der noch frischen Erinnerung an die unerfreulichen Begegnungen mit den Laistrygonen und dem Zyklopen war es nicht verwunderlich, daß sie die Nachricht mit gemischten Gefühlen aufnahmen. Aber Odysseus ließ sich nicht beirren und teilte seine Leute in zwei Gruppen ein, von denen er die eine selbst anführte und die andere einem Mann mit Namen Eurylochos unterstellte. Die beiden Parteien zogen Lose, und die Aufgabe, auf Kundschaft auszugehen, fiel Eurylochos zu, während Odysseus beim Schiff auf seine Rückkehr warten sollte. Eurylochos' Gruppe gelangte zu dem Haus im Wald. Es war von Wölfen und Löwen umgeben, die die Männer jedoch nicht angriffen, sondern sie, mit ihren langen Schwänzen wedelnd, freudig begrüßten. In Wirklichkeit handelte es sich nämlich um Menschen, die von der Zauberin Circe in Tiere verwandelt worden waren. Aus dem Haus erklang der schöne Gesang der Zauberin, und als die Seeleute laut riefen, um sich bemerkbar zu machen, kam sie heraus und lud die Männer ein einzutreten. Lediglich Eurylochos, der eine List argwöhnte, blieb draußen. Circe gab ihren Gästen zu essen, mischte indes »böse Kräuter« in die Speise, »damit sie das Vaterland gänzlich vergäßen« (*Odyssee* 10,236); als das Mahl zu Ende war, berührte sie sie mit einem Zauberstab und trieb sie dann in Koben, denn äußerlich sahen sie nun aus wie Schweine; zu ihrem Unglück erinnerten sie sich jedoch daran, wer sie eigentlich waren.

Der von panischem Schrecken ergriffene Eurylochos eilte zum Schiff zurück, um vom Verschwinden seiner Gefährten zu berichten. Odysseus befahl dem Mann, ihn zu Circes Haus zu führen. Als dieser sich weigerte, machte er sich allein auf den Weg. Kurz vor dem Ziel begegnete er Hermes, der ihm als junger Mann entgegentrat. Der Gott gab ihm eine Pflanze, die er Moly nannte und die, mit Circes Speisen gemischt, als Gegenmittel gegen die Drogen der Zauberin wirke; er verriet Odysseus auch, wie er die Oberhand über sie gewinnen könne: Wenn Circe ihn mit ihrem Zauberstab berühren wolle, solle er auf sie losstürzen, als wolle er sie umbringen; daraufhin würde sie ängstlich zurückweichen und ihn einladen, ihr Lager zu teilen. Er solle einwilligen, allerdings erst, nachdem er ihr den feierlichen Eid abgenommen habe, daß sie ihm nicht übel mitspielen werde, während er entblößt war.

Circe
Circe, im Zentrum, rührt in dem Becher, den sie soeben einem von Odysseus' Männern abgenommen hat, der nun einen Eberkopf trägt. Vier seiner Gefährten sind ebenfalls mit Tierschädeln (Eber, Widder, Löwe und Wolf) abgebildet. Links außen ist Odysseus zu sehen, der sich mit gezogenem Schwert nähert. Attischer schwarzfiguriger »Gabelbein«-Becher, um 550–530 v. Chr.

Alles geschah genauso, wie Hermes es vorhergesagt hatte. Nachdem sie miteinander geschlafen hatten, badete Circe Odysseus, legte ihm prächtige Kleider an und ließ ein üppiges Festmahl für ihn bereiten, doch er saß schweigsam und gedankenverloren da. Auf Circes forschende Fragen entgegnete Odysseus, sie könne wohl kaum erwarten, daß ihm nach Essen und Unterhaltung sei, während die Hälfte seiner Mannschaft draußen in den Schweineställen schmachte. Daraufhin ließ Circe die Schweine frei und bestrich sie mit Zauberkräutern: Ihre Borsten fielen ab, und aus allen wurden wieder Männer, die nun sogar jünger und schöner waren als zuvor. Odysseus und seine Gefährten weinten vor Erleichterung und Glück und trockneten ihre Tränen erst, als Circe vorschlug, sie sollten den Rest der Mannschaft holen, damit sie gemeinsam feierten. Sie alle blieben ein volles Jahr bei der Zauberin, aßen und tranken und vergnügten sich und vergaßen darüber die Schicksalsprüfungen und Strapazen, die sie durchgemacht hatten.

Das Totenreich

Schließlich wurde Odysseus von einigen seiner Gefährten daran erinnert, daß es vielleicht Zeit sei, an die Rückkehr nach Ithaka zu denken. Von Circe erfuhr er, daß er, ehe er in seine Heimat zurücksegeln könne, in die Unterwelt hinabsteigen müsse, um den Rat des thebanischen Sehers Teiresias einzuholen: einzig und allein dieser könne ihm sagen, wie er in die Heimat gelange. Odysseus überquerte also den Fluß Okeanos und machte sein Schiff in der Nähe von Persephones heiligem Pappelhain fest. Circes Anweisungen folgend, hob er am Ufer eine Grube aus, in die er für die Toten Trankopfer von Honig, Wasser, Milch und Wein goß; über der Grube schnitt er einem Widder und einem schwarzen Schaf die Kehle durch. Vom Geruch des Blutes angezogen, drängten die Seelen der Toten herbei, um davon zu trinken, doch Odysseus hielt sie mit gezogenem Schwert fern, während er auf Teiresias' Seele wartete, die zuerst ihren Anteil bekommen mußte. Als erster näherte sich einer von Odysseus Männern – der erst kurz zuvor verstorbene Elpenor. Der,

> [...] der jüngste der Schar, [...] nicht eben besonders
> Tapfer gegen den Feind, noch mit Verstande gesegnet,
> Hatte sich heimlich beiseit auf Circes heilige Wohnung,
> Von der Hitze des Weins sich abzukühlen, gelagert.
> Jetzo vernahm er den Lärm und das rege Getümmel der Freunde;

Plötzlich sprang er empor, und vergaß in seiner Betäubung,
Wieder hinab die Stufen der langen Treppe zu steigen;
Sondern er stürzte sich grade vom Dache hinunter;
der Nacken
Brach aus seinem Gelenk, und die Seele fuhr in die Tiefe.

(10,552–560;
Übersetzung von Johann Heinrich Voß)

In ihrer Eile, in See zu stechen, hatten sie ihn unbestattet und unbeweint zurückgelassen; Odysseus versprach, diesen Zustand sobald wie möglich zu beheben. Als Teiresias erschien, ließ Odysseus ihn von dem Blut trinken; der Seher beschied ihn, seine Aussichten auf eine glückliche Heimkehr seien gut, doch dürfe er keinesfalls die Rinder des Helios auf der Insel Thrinakia antasten. Zudem informierte ihn Teiresias über die Lage, die er auf Ithaka vorfinden werde, wo habgierige Freier seine treue Gemahlin Penelope umwarben.

Nachdem er sich angehört hatte, was Teiresias ihm sagen konnte, ließ Odysseus auch andere Geister von dem Blut trinken, was diese in die Lage versetzte, sich mit ihm zu unterhalten. Als erste kam seine betagte Mutter, die ihm schilderte, wie sie vor Sorge und Sehnsucht nach ihm gestorben war, und ihm einen bedrückenden Bericht von dem traurigen Leben gab, das sein Vater Laërtes führte, sowie von den tapferen Bemühungen Penelopes, ihre Freier abzuwehren. Odysseus, von Kummer überwältigt und von dem Wunsch beseelt, sich selbst und seine Mutter zu trösten, versuchte dreimal, sie zu umarmen, und dreimal entschlüpfte sie, einem Schattenbild gleich, seinen Händen, so daß er nur in die Luft griff. Andere Heroinen näherten sich und sprachen mit ihm. Dann kam Agamemnon. Er erzählte Odysseus von seinem grausamen Tod und tröstete ihn mit dem Gedanken, daß Penelope niemals fähig wäre, so zu handeln wie Klytaimnestra. Auch Achilleus erschien, und Odysseus begrüßte ihn als den glücklichsten Mann, der jemals gelebt habe, ein mächtiger Fürst unter den Lebenden und den Toten. Achilleus entgegnete, daß er lieber Sklave, aber am Leben wäre, als König unter den Toten zu sein, doch Odysseus ver-

mochte ihn mit Berichten über Mut und Tüchtigkeit seines Sohnes Neoptolemos aufzuheitern, und Achilleus ging glücklich von dannen.
Während seines Aufenthalts im Totenreich erblickte Odysseus einige der Berühmtheiten der Unterwelt: Sisyphos, unablässig den riesigen Felsblock einen Berg hinaufwälzend, der immer wieder zurückrollte, wenn er den Gipfel fast erreicht hatte; und Tantalos, bis zum Kinn in einem Teich stehend, der indes jedesmal sofort austrocknete, wenn der von Durst Gequälte sich vorbeugte, um von dem Wasser zu trinken; über seinem Kopf hingen Zweige voller Früchte, doch wenn der Greis seine Arme reckte, um sie zu pflücken, »schnellte sie immer der Wind empor zu den schattigen Wolken« (11,192). Odysseus war begierig, mehr zu sehen. Es war ihm auch noch vergönnt, den Geist des mächtigen Herakles zu schauen – »nur seinen Schatten; / Denn er selber ergötzt sich bei den unsterblichen Göttern / In Gelagen« (11,601 ff.) –, doch während er auf weitere Heroen früherer Generationen wartete, »kamen zuhauf die tausenden Scharen der Toten / Mit unsäglichem Lärm; und bleiche Furcht überkam mich ...« (11,632 f.). Entsetzt eilte er zu seinem Schiff, löste die Vertäuung und segelte in die Welt der Lebenden zurück.

Die Sirenen und Skylla und Charybdis

Odysseus kehrte auf Circes Insel zurück. Sobald Elpenor geziemend bestattet worden war, erteilte die Zauberin Odysseus weitere Ratschläge für seine Reise und bereitete ihn auf einige der Gefahren vor, die ihn und seine Mannschaft erwarteten.
Das Schiff nahm zunächst Kurs auf die Insel der Sirenen. Die Sirenen, Schreckenswesen mit Frauenköpfen und -stimmen und Vogelkörpern, versuchten, mit ihrem süßen Gesang Seeleute zu sich zu locken. Als sich das Schiff der Insel näherte, wurde das Meer vollkommen ruhig, und die Mannschaft griff zu den Rudern. Auf Circes Rat hin verschloß Odysseus die Ohren seiner Leute mit Wachs, während er selbst sich an den Mast binden ließ, damit

er gefahrlos dem Gesang lauschen konnte. »Komm, gepriesener Odysseus«, sangen die Sirenen,

> Lege dein Schiff hier an, um unsere Stimme zu hören;
> Denn hier fuhr noch keiner im schwarzen Schiffe vorüber,
> Eh er die honigtönende Stimme aus unseren Mündern
> Hörte; er kehrt dann heim, erfreut und reicher an Wissen;
> Denn wir wissen dir alles, wieviel in Troja, dem weiten,
> Die Argeier und Troer mit Willen der Götter gelitten,
> Wissen, was immer geschieht auf der vielernährenden Erde.«
>
> (12,185–191;
> Übersetzung von Roland Hampe)

Odysseus rief seinen Männern zu, sie sollten ihn losbinden, doch sie ruderten entschlossen weiter, und schließlich war die Gefahr überwunden.

Ihre nächste Aufgabe bestand darin, die doppelte Herausforderung zu bewältigen, die Skylla und Charybdis darstellten. Charybdis war ein todbringender Meeresstrudel, der abwechselnd das Wasser in seiner Umgebung einsog und dann wieder ausspie; der vorsichtige Seefahrer, der ihn meiden wollte, mußte statt dessen eine Begegnung mit der gleichermaßen gräßlichen Skylla in Kauf nehmen. Skylla lauerte in einer von Gischt und Nebel den Blicken entzogenen Höhle hoch oben in einem Felsen; sie hatte zwölf Füße, die in der Luft baumelten, und auf sechs langen Hälsen thronten sechs ungestalte Köpfe mit je drei Zahnreihen. Von ihrer Höhle aus forderte sie ihren Tribut an Menschenopfern von den Schiffen, die unten vorbeifuhren. Odysseus war von Circe gewarnt worden, hatte aber beschlossen, seinen Leuten nichts von dem Ungeheuer zu erzählen; er ließ das Schiff in möglichst großem Abstand an der Charybdis und damit direkt unter dem Felsen der Skylla vorbeirudern, und obwohl er bewaffnet und bereit war, mit ihr um das Leben seiner Mannschaft zu kämpfen, konnte sie seiner Wachsamkeit entgehen und sechs laut schreiende Opfer an sich reißen.

Odysseus und die Sirenen
Odysseus hat sich an den Mast binden lassen, um dem verführerischen Gesang der Sirenen gefahrlos zu lauschen, den seine Mannschaft, die Ohren mit Wachs verstopft, nicht hören kann. Rotfiguriger Glockenkrater aus Paestum, 4. Jh. v. Chr.

Während ich noch auf das schnelle Schiff mitsamt den Gefährten
Blickte, gewahrte ich über mir schon die Füße und Hände
Der in die Höhe Gehobenen, die aber schrieen und riefen
Mich – zum letzten Male – bekümmerten Herzens beim Namen.

Skylla
Mit ihrem linken Arm ergreift Skylla einen von Odysseus' Männern und zieht ihn aus dem Schiff; die Hunde um ihre Taille zerfleischen zwei weitere, während ein vierter von einem mächtigen Fischschwanz festgehalten wird. Römische Bronzeschale, 1. Jh. n. Chr.

Wie wenn am Felsvorsprung an langer Rute der Fischer
Für die Fische, die kleinen, täuschende Köder hinabsenkt,
Wenn er ins Meer auswirft das Röhrchen vom Horn eines Rindes,
Und den zappelnden dann, den er fängt, ans Ufer herausschnellt,
Also wurden sie zappelnd emporgeschnellt zu den Felsen;
Dort an den Pforten der Höhle fraß sie die Skylla, und jammernd
Streckten die Hände sie aus nach mir in dem grausigen Morden.
Dies war das Ärgste von allem, was je meine Augen gesehen,
Was ich auch sonst erlitt, die Bahnen des Meeres erforschend.
(12,247–258)

Die Rinder des Helios

Als nächstes kam Thrinakia in Sicht, eine Insel mit ausgezeichnetem Weideland, auf der Helios seine fetten Rinder- und Schafherden hielt. Odysseus war sowohl von Circe als auch von Teiresias darauf aufmerksam gemacht worden, daß er, wollte er Ithaka lebend erreichen, diesen Ort meiden solle und unter keinen Umständen Hand an die Tiere legen dürfe. Das erklärte er nun seinen Männern, doch diese, erschöpft und niedergeschlagen ob des Verlusts von sechs weiteren Gefährten, bestanden darauf, an Land zu gehen und die Nacht am Strand zu verbringen. Angesichts einer drohenden Meuterei blieb Odysseus kaum etwas anderes übrig, als nachzugeben, doch ließ er die Mannschaft schwören, das Vieh unbehelligt zu lassen. In jener Nacht kam ein Sturm auf, und einen ganzen Monat lang blies der Wind aus Süden, so daß an eine Fortsetzung ihrer Reise nicht zu denken war.
Solange sie noch von den Vorräten zehren konnten, die Circe ihnen mitgegeben hatte, hielten die Männer ihren Schwur und rührten das Vieh nicht an. Doch schließlich gingen ihre Nahrungsmittel zur Neige, und vom Hunger getrieben, nutzten sie eine kurze Abwesenheit des Odysseus vom Schiff dazu, einige der besten

Tiere der Herde zusammenzutreiben: Wenn sie die Rinder zu Ehren der Götter schlachteten, so dachten sie, könnten ihnen die Götter ja kaum zürnen. Bei Odysseus' Rückkehr empfing ihn der Duft gebratenen Fleisches; es war sinnlos, die Männer für ihr Tun zu tadeln, und die Götter waren entschlossen, das Verbrechen zu sühnen. Als das Fleisch aufgegessen war, legte sich der Wind, so daß das Schiff Segel setzen konnte; doch kaum hatte es die offene See erreicht, da erhob sich ein schrecklicher Sturm, und das Schiff wurde von den gewaltigen Wellen zerschmettert und vom Blitz entzweigerissen. Die gesamte Mannschaft kam um, nur Odysseus vermochte sich zu retten. Ihm gelang es, Kiel und Mastbaum zu einem zerbrechlichen Floß zusammenzuschnüren. Zehn Tage trieb er so über das Meer, bis er schließlich an der Insel Ogygia, der Heimat der schönen Nymphe Kalypso, an Land gespült wurde.

Kalypso

Kalypso machte Odysseus zu ihrem Geliebten, und gezwungenermaßen blieb er sieben Jahre bei ihr, da er keine Möglichkeit hatte, von der Insel zu fliehen. Schließlich erbat die Göttin Athene von ihrem Vater Zeus die Rückkehr des Odysseus in die heimatlichen Gefilde, und sie sandten Hermes, den Götterboten, aus, um der Nymphe mitzuteilen, daß die Zeit gekommen war, ihren Gast ziehen zu lassen. Kalypso wußte, daß sie gehorchen mußte, auch wenn sie es nur widerwillig tat. Sie gab Odysseus das nötige Material, um ein Floß zu bauen, versorgte ihn mit Nahrungsmitteln und Getränken und ließ einen günstigen Wind wehen, der ihn rasch nach Ithaka tragen sollte. Ohne Zwischenfall gelangte er in Sichtweite des Landes der Phaiaken, der großen Seefahrer, die dazu ausersehen waren, ihn die letzte Wegstrecke zu geleiten. Doch dann griff Poseidon ein; er haßte Odysseus, weil er seinen Sohn, den Zyklopen Polyphem, geblendet hatte, und voller Zorn sah er, daß sein Feind nun kurz vor dem Ende seiner Reise stand. Deshalb schickte er wieder einmal einen Sturm, der den Mastbaum vom Floß riß und es zum Spielball der Winde machte:

So wie der herbstliche Nord die Disteln über die Ebne
Vor sich her treibt, die aber haften dicht aneinander,
So auch trieben das Floß die Winde hierhin und dorthin
Über die Flut. Bald warf es der Süd zum Nord, es zu treiben,
Bald überließ es der Ost dem Westwind, es zu verfolgen.
(5,328–332)

Durch das Eingreifen der Meeresnymphe Ino wurde Odysseus vor dem sicheren Tod gerettet. Sie gab ihm ihren Schleier mit der Anweisung, ihn sich um die Taille zu binden, nachdem er sich seiner hinderlichen Kleidung entledigt hatte, dann das Floß zu verlassen und mit eigener Kraft an Land zu schwimmen. Als eine riesige Welle das Floß vollends auseinanderriß, tat Odysseus, wie ihm geheißen. Zwei Tage und Nächte hindurch schwamm er pausenlos, am dritten Tag endlich erreichte er die Küste der Phaiaken-Insel Drepane. Nachdem er beinahe an der steilen Felsküste zerschellt wäre, fand er zu guter Letzt eine Flußmündung, an der er an Land gehen konnte. Er warf Inos Schleier ins Meer zurück, wie es ihm seine Retterin aufgetragen hatte, und legte sich in einem Dickicht zum Schlafen nieder.

Odysseus bei den Phaiaken

Eine Eingebung Athenes ließ die phaiakische Prinzessin Nausikaa, Tochter des Alkinoos, just jenen Tag wählen, um mit ihren Mägden in den stehenden Tümpeln der Flußmündung Wäsche zu waschen. Während die Wäsche zum Trocknen auf dem Kies ausgebreitet lag, badeten und aßen die jungen Frauen und vertrieben sich die Zeit mit Singen und Ballspielen. Eine der Mägde fing den Ball nicht, den Nausikaa ihr zuwarf; er landete im Fluß, und die Mädchen kreischten laut. Der Lärm weckte Odysseus:

»O mir, in welcher Sterblichen Land bin ich wieder
gekommen?
Sind es frevelhafte und wilde und gar nicht gerechte
Oder den Fremden freundliche, gottesfürchtige Leute?
Wie von Mädchenstimmen umfing mich ein weiblicher
Aufschrei –
Ob von Nymphen, welche die steilen Häupter der Berge
Und die Quellen der Flüsse und grasigen Wiesen bewohnen?
Oder bin ich vielleicht hier nahe bei redenden Menschen?
Aber wohlan, ich werde es selber erkunden und nachschaun.«
Sprach's und tauchte aus dem Gehölz, der hehre Odysseus,
Brach mit kräftiger Hand aus dem dichten Gebüsch einen
Laubzweig,
Um sich damit am Leibe die Blöße des Mannes zu decken.
Und er ging, wie ein Löwe vom Berg seiner Stärke
vertrauend
Geht durch Regen und Wind, ihm brennen die Augen, die
beiden;
Aber er geht auf Raub von Rindern oder von Schafen
Oder von wilden Hindinnen aus; es treibt ihn der Magen,
Selbst in festes Gehöft zu dringen, trachtend nach Kleinvieh.
Also trieb es Odysseus nun, zu den lockigen Mädchen
Hinzutreten, nackt wie er war; denn es kam ihn die Not an.
Gräßlich erschien er denen, entstellt vom Salze des Meeres.
Auf die Klippen am Ufer stoben sie hierhin und dorthin.

(6,119–138)

Odysseus wandte sich als Bittsteller an Nausikaa, ersuchte sie, ihm den Weg in die Stadt zu zeigen und ihm ein Laken zu geben, in das er sich hüllen konnte. Nausikaa antwortete ihm würdevoll und freundlich, und nachdem er sich das Salz abgewaschen, mit Öl gesalbt und die feinen, sauberen Kleidungsstücke angelegt hatte, die sie ihm gegeben hatte, lud sie ihn zu Speise und Trank ein. Dann ging er mit den Mädchen bis an den Stadtrand, wo sie ihn, um Klatsch zu vermeiden, zurückließen. Nausikaa forderte Odysseus auf, sich geradewegs in das Haus ihres Vaters Alkinoos, des

Königs der Phaiaken, zu begeben und vor ihrer Mutter als Bittsteller auf die Knie zu fallen.
Von Athene in Gestalt eines anderen jungen Mädchens geführt, gelangte Odysseus zu Alkinoos' prachtvollem Palast. Die Wände waren mit Bronze verkleidet, und an Toren aus Gold wachten goldne und silberne Hunde. Die Halle wurde von Knabenstatuen aus massivem Gold erhellt, die Fackeln in den Händen hielten. Der Hof davor war als herrlicher Garten mit Obstbäumen, Weinreben und gutbewässerten Gemüsebeeten angelegt. Nachdem er all dies bewundert hatte, begab sich Odysseus, von Athene in Nebel gehüllt, in das Innere des Palastes und ging geradewegs auf Königin Arete zu, deren Knie er mit den Armen flehend umschlang. Als sich der Nebel auflöste, der ihn bisher verborgen hatte, lauschten die Phaiaken erstaunt seinem Anliegen: er bat um Schutz und Geleit in sein Heimatland.
Sobald Alkinoos seine erste Überraschung überwunden hatte, reagierte er großzügig. Höflich verzichtete er darauf, den Fremden auszufragen, ließ ihm sofort Speise und Trank vorsetzen und versprach, ihm am nächsten Morgen bei der Rückkehr in seine Heimat behilflich zu sein. Als die anderen Phaiaken nach Hause gegangen waren und Odysseus mit Alkinoos und seiner Gemahlin allein war, fragte ihn Arete, wer er sei und woher er die Kleider habe, die er trage, denn sie hatte sie sogleich erkannt. Daraufhin berichtete Odysseus, ohne Namen und Herkunft zu erwähnen, von den Abenteuern, die er seit dem Verlassen der Insel Ogygia erlebt hatte, und schilderte seine Begegnung mit Nausikaa an der Flußmündung. Unterdessen hatte Arete ein Lager herrichten lassen, und Odysseus war froh, sich zur Ruhe begeben zu können.
Am nächsten Tag wurde ein Schiff seeklar gemacht, das Odysseus nach Hause bringen sollte, doch der gastfreundliche Alkinoos bestand darauf, für seinen Gast ein Festmahl auszurichten und ihn mit Spielen und anderen Unterhaltungen zu ergötzen, bevor dieser aufbrach. Zuerst trat der Sänger Demodokos vor der versammelten Gesellschaft auf und besang eine Episode aus dem Trojanischen Krieg – einen Streit zwischen dem vielberühmten Achilleus und dem listenreichen Odysseus. Während er dem Sänger lausch-

te, weinte Odysseus und zog sich den Mantel über den Kopf, um seine Tränen vor den anderen zu verbergen. Nur Alkinoos bemerkte sie, und um seinen Gast aufzuheitern, schlug er athletische Wettkämpfe vor. Zunächst begnügte sich Odysseus damit, den jungen Adligen zuzusehen, doch als er von einigen Phaiaken herausgefordert wurde, warf er den Diskus auf Rekordweite. Auf die Wettkämpfe folgte Tanz, und dann war abermals Demodokos an der Reihe, der diesmal die Liebesabenteuer von Aphrodite und Ares besang. Nun wetteiferten die phaiakischen Adligen darin, Odysseus mit Geschenken zu überhäufen. Beim Abendessen sang Demodokos erneut, und auf Odysseus' Vorschlag hin gab er Verse über das Hölzerne Pferd von Troja zum besten. Wieder weinte Odysseus, während er dem Gesang lauschte, und wieder bemerkte Alkinoos es als einziger. Als der Sänger schwieg, forderte Alkinoos seinen Gast auf, zu sagen, wer er sei, woher er komme und wohin er geleitet werden wolle – und warum er bei Demodokos' Liedern weine. Daraufhin erzählte Odysseus, wer er war, und schilderte alle Abenteuer, die er erlebt hatte: er berichtete von den Kikonen und den Lotosessern, von den Zyklopen, von Aiolos, den Laistrygonen, von Circe und seinem Besuch in der Unterwelt, von den Sirenen, Skylla und Charybdis und den Rindern des Helios und endete mit seinem Aufenthalt bei Kalypso, von deren Insel er in das Land der Phaiaken verschlagen worden war.

Am folgenden Abend konnte Odysseus sich endlich von seinen Gastgebern verabschieden, und ein schnelles phaiakisches Schiff trug ihn ruhig über das Meer nach Ithaka. Odysseus schlief, während das Schiff die Wellen durchpflügte, und er schlief noch immer, als der Morgenstern aufging und die Mannschaft ihn zusammen mit den Geschenken, mit denen die Phaiaken ihn überhäuft hatten, an der Küste Ithakas in der Nähe einer schönen, von den Nymphen bewohnten Höhle niederlegten. Als Odysseus erwachte, erkannte er den Ort zunächst nicht, weil Athene die Insel in Nebel gehüllt hatte, um Zeit zu haben, Odysseus zu empfangen und eine passende Verkleidung für ihn zu finden. Während er sich bedrückt fragte, wo die verräterischen Phaiaken ihn wohl ausgesetzt hatten, trat Athene, als Hirte verkleidet, zu ihm und versicherte ihm auf seine Fragen, daß er tatsächlich in Ithaka sei.

Töricht bist du, o Fremder, oder von weither gekommen,
Wenn du nach diesem Lande fragst; denn es ist ja nicht gar so
Namenlos unbekannt, und es kennen sicher recht viele,
Sei es, soweit sie nach Morgen und nach der Sonne zu wohnen
Oder sei es nach hinten zu nach dem dunstigen Dunkel.
Freilich, es ist recht rauh und nicht befahrbar für Wagen,
Aber auch nicht ganz arm, obwohl nicht geräumig geschaffen.
Drinnen wächst unendliches Korn, und drinnen gedeiht auch
Wein; und immer gibt es dort Regen und reichlichen Taufall.
Gutes Weideland für Ziegen und Rinder und Wald ist
Mancherlei da, drin immerfließende Quellen zum Tränken.
Fremdling, Ithakas Name ist selbst bis Troja gedrungen,
Das, wie die Leute behaupten, so fern vom achäischen Land liegt.

(13,237–249)

Der erschöpfte Odysseus wollte der Göttin weismachen, er sei ein Verbannter aus Kreta; sie lächelte über seine List, gab sich ihm ihrerseits zu erkennen, versicherte erneut, daß er sich tatsächlich auf der Insel Ithaka befinde, und gab ihm Ratschläge, wie er vorgehen sollte, um seine Gattin und sein Königreich zurückzugewinnen.

Odysseus in Ithaka

Im Verlauf der zwanzigjährigen Abwesenheit des Odysseus gelangten die meisten Bewohner seiner Heimat Ithaka – mit Ausnahme seiner Gattin Penelope, seines Sohnes Telemach und einiger weniger Getreuer – zu der Überzeugung, der König sei tot – sei entweder bei Troja gefallen oder auf der Heimfahrt umgekommen. Da Penelope nicht nur schön und gebildet, sondern auch reich und mächtig war, und der Mann, der sie ehelichte, Odysseus' Reichtum und Status erben würde, wurde sie von Freiern geradezu belagert. Die jungen Adligen hatten sich im Palast ihres

Gatten eingenistet, taten sich an seinen Lebensmittel- und Weinvorräten gütlich und drängten ihr ihre unwillkommenen Aufmerksamkeiten auf. Solange sie konnte, spielte Penelope auf Zeit, indem sie jeden glauben ließ, er habe Grund, sich Hoffnungen zu machen, keinem indes eine definitive Antwort gab. Drei Jahre lang hielt sie alle mit einer List hin: sie verkündete, sie webe an einem Leichentuch für Odysseus' alten Vater Laërtes, denn es wäre unziemlich, stürbe er, ohne daß ein Leichentuch für ihn bereit sei, und die Freier müßten auf ihre Entscheidung warten, bis sie ihre Arbeit beendet habe. Jeden Tag saß sie am Webstuhl, nach Einbruch der Nacht aber trennte sie im Schein der Fackel das tagsüber Gewebte wieder auf. Am Beginn des vierten Jahres wurde sie jedoch von einer ihrer Mägde verraten, die den Freiern half, sie bei ihrer List zu ertappen, und widerstrebend mußte sie das Leichentuch fertigstellen.

Kurz vor Odysseus' Ankunft in Ithaka war Telemach, der inzwischen ein Alter erreicht hatte, da er eine aktive Rolle bei der

Penelope an ihrem Webstuhl
Einer ihrer Freier tritt Penelope an ihrem Webstuhl gegenüber. Ihre niedergeschlagene Miene läßt vermuten, daß ihre List, tagsüber zu weben und das Geschaffene während der Nacht wieder aufzutrennen, entdeckt worden ist. Attischer rotfiguriger Skyphos (Trinkbecher), um 460–440 v. Chr.

Rückkehr seines Vaters spielen konnte, auf eine Eingebung Athenes hin zu einer Reise aufgebrochen, um herauszufinden, was mit Odysseus geschehen war. Zunächst segelte er nach Pylos, wo er den betagten Nestor aufsuchte; Nestor konnte ihm nichts über den Verbleib seines Vaters sagen, riet ihm aber, bei König Menelaos in Sparta nachzufragen. Menelaos und Helena empfingen den jungen Mann mit großer Freundlichkeit, und Menelaos berichtete, wie er von Proteus, dem »Alten Mann des Meeres«, erfahren hatte, Odysseus sei auf der Insel der schönen Nymphe Kalypso gestrandet. Nach Odysseus' Ankunft in Ithaka begab sich Athene nach Sparta, um Telemach zur Heimkehr zu mahnen. Die Freier, verärgert und auch beunruhigt über Telemachs mannhaftes Verhalten, hatten vor, sein Schiff bei seiner Rückkehr aus dem Hinterhalt anzugreifen und den Jüngling zu töten, doch mit Athenes Hilfe entging er ihrer Falle und gelangte unversehrt nach Ithaka.
Athene hatte Odysseus geraten, nicht sofort in die Stadt zu gehen, sondern zunächst bei dem Schweinehirten Eumaios Unterschlupf zu suchen, der mit seinen Tieren auf einem Gehöft etwas außerhalb der Stadt lebte. Von der Göttin in einen greisen Landstreicher verwandelt, befolgte Odysseus den Vorschlag. Er wurde von Eumaios äußerst zuvorkommend empfangen, dessen Bericht über die Situation in der Stadt von vielen Lobreden auf seinen abwesenden Herrn und Gebeten für dessen wohlbehaltene Rückkehr durchsetzt war. Eumaios' Fragen beantwortete Odysseus mit einer langen Geschichte über seine angebliche Herkunft. Er behauptete, er sei der uneheliche Sohn eines wohlhabenden Kreters; nach zahlreichen Abenteuern sei er schließlich in Thesprotien gelandet, wo er von Odysseus gehört habe, der kurz zuvor dort vorbeigekommen sei. Der König von Thesprotien habe ihn auf ein Schiff mit Ziel Dulichion bringen lassen, aber die schurkische Mannschaft habe ihn seiner Kleider beraubt und gefesselt, um ihn als Sklaven zu verkaufen. Als die Seeleute vor Ithaka von Bord gegangen seien, habe er die Fesseln abstreifen und an Land schwimmen können. So sei er zum Gehöft des Eumaios gelangt.

Eumaios nahm die ganze Geschichte für bare Münze, nur das, was der Fremde über seinen Herrn erzählt hatte, weigerte er sich zu glauben – und dies auch dann noch, als sein Gast schwor, Odysseus werde noch in diesem Monat nach Hause zurückkehren, und anbot, sich von Eumaios' Knechten von einem Felsen stürzen zu lassen, wenn sich seine Worte als unwahr erwiesen. Eumaios ließ Odysseus gebratenes Schweinefleisch bringen und bereitete ihm ein bequemes Lager am Feuer; er selbst verbrachte die Nacht im Freien, über den Besitz seines abwesenden Herrn wachend.

Am nächsten Tag verkündete Odysseus während des Abendessens in der Hütte des Schweinehirten seine Absicht, sich in die Stadt zu begeben, um im Palast zu betteln; Eumaios, um die Sicherheit seines Gastes besorgt, bestand darauf, daß er Telemachs Rückkehr abwarte. An jenem Abend war die Reihe an dem Hirten, seine Lebensgeschichte zu erzählen, und er berichtete, daß er aus einer Adelsfamilie stamme, aber als Kind von phönizischen Kaufleuten entführt und in Ithaka in die Sklaverei verkauft worden sei. Am nächsten Morgen landete Telemach auf der Insel, begab sich, von Athene geleitet, direkt zu Eumaios' Hütte und schickte den Hirten in die Stadt, um Penelope von seiner Rückkehr in Kenntnis zu setzen. Als Vater und Sohn allein waren, gab Athene Odysseus' vorübergehend sein früheres Aussehen wieder und veranlaßte ihn, sich seinem Sohn zu erkennen zu geben. Telemach wollte zunächst nicht glauben, daß der Bettler am Herd des Schweinehirten tatsächlich sein Vater war, doch schließlich ließ er sich überzeugen, und beide weinten vor Freude und Erleichterung. Sobald sie sich wieder gefaßt hatten, begannen sie ihre Pläne zu schmieden: Odysseus sollte Telemach in die Stadt folgen und in seinem eigenen Palast betteln gehen. Dort wollte er die Lage sondieren und den richtigen Augenblick für einen Angriff abwarten; war dieser Zeitpunkt gekommen, würde er Telemach ein Zeichen geben, und gemeinsam würden sie, mit Zeus' und Athenes Hilfe, die elenden Freier vernichten.

Odysseus begab sich in Begleitung des Schweinehirten in die Stadt. Unterwegs überholte sie der Ziegenhirt Melantheus, ein zu den Freiern übergelaufener Schurke, der den alten Bettler beschimpfte und trat. Vor dem Palast angelangt, bemerkte Odysseus auf einem Dunghaufen einen räudigen, kranken alten Hund, der beim Klang seiner Stimme die Ohren spitzte und schwach mit dem Schwanz wedelte. Odysseus erkannte ihn sogleich, und tief betroffen über seinen Zustand wischte er verstohlen eine Träne fort. Als er Eumaios auf das verwahrloste Tier aufmerksam machte, erklärte jener, daß es vor zwanzig Jahren keinen Hund gegeben habe, der schneller laufen und schneller eine Fährte aufnehmen konnte als Argos, doch während der Abwesenheit seines Herrn sei er alt geworden und verwahrlost. Als die beiden das Gebäude betraten, starb Argos, »gleich, nachdem er Odysseus sah im zwanzigsten Jahre« (17,327).

Wie vorherzusehen, wurde Odysseus von den Freiern beschimpft und beleidigt, als er sie in seinem eigenen Palast anbettelte. Sie machten sich über seine Lumpen lustig, drohten ihm, und einer warf sogar einen Schemel nach ihm. Nachdem er jedoch den Gemeindebettler Iros, »der immer / betteln ging durch die Stadt von Ithaka« (18,1 f.), in einem Faustkampf besiegt hatte, behandelten sie ihn mit mehr Respekt. Zu diesem Zeitpunkt gab Athene Penelope ein, sich den Freiern zu zeigen. Sie stieg in die Halle hinunter, wo ihre Schönheit alle mit Begehren erfüllte. Die Königin tadelte Telemach, weil er es zuließ, daß in ihrem Haus ein Bettler beleidigt wurde, wandte sich dann an die Freier und erklärte, es zieme sich nicht, sie mit ihren Festgelagen um Haus und Hof zu bringen, sei es doch eigentlich üblich, daß

> Die einer guten Frau und eines Begüterten Tochter
> Sich vermählen wollen und stehn miteinander in Wettstreit,
> Bringen selber die Rinder und kräftigen Schafe zum Schmause
> Für des Mädchens Verwandte und geben noch glänzende Gaben.
> (18,276–279)

Die Freier willigten ein und ließen, sehr zu Odysseus' Freude, von Boten kostbare Gewänder und Edelsteine herbeiholen, die sie ihr zum Geschenk machten. Als der Abend fortschritt, wurde es Zeit für ein weiteres Festmahl, und Odysseus machte sich nützlich, indem er sich um Fackeln und Feuer kümmerte. Wieder verhöhnten die Freier den Bettler in ihrer Mitte, und wieder wurde ein Schemel nach ihm geworfen, dem der Angegriffene indes gewandt auswich. Sobald die Freier sich zur Nachtruhe in ihre eigenen Häuser zurückgezogen hatten, entfernten Telemach und Odysseus alle Waffen aus der Halle und schlossen sie in einer Vorratskammer ein. Dann kam Penelope abermals herunter, um mit dem Bettler zu sprechen, der ihr Interesse geweckt hatte. Sie erkundigte sich, woher er gekommen sei, und schilderte ihm ihre eigene mißliche Lage: Die Freier drängten sie, sich für einen von ihnen zu entscheiden, während sie einzig und allein die Rückkehr ihres Gemahls herbeisehnte. Er erzählte ihr, er sei ein Kreter königlicher Abstammung und habe Odysseus auf Kreta getroffen. Um ihn auf die Probe zu stellen, fragte sie ihn, wie Odysseus gekleidet gewesen sei, und er beschrieb ihr einen purpurnen Mantel und eine goldene Spange, auf der ein Jagdhund abgebildet war, der ein geflecktes Hirschkalb mit den Vorderläufen festhielt. Bei der Schilderung dieser ihr so vertrauten Dinge weinte Penelope. Um sie aufzuheitern, versicherte Odysseus ihr, daß ihr Gatte lebe, wohlauf und schon in der Nähe sei; ja, er werde noch im Laufe des Monats nach Ithaka zurückkehren.

Penelope wies ihre Mägde an, den Bettler zu waschen und ihm ein bequemes Lager zu richten. Der vorsichtige Odysseus wollte sich indes die Füße nur von einer älteren Magd waschen lassen, und man betraute die alte Amme Eurykleia mit dieser Aufgabe. Eurykleia tat sofort kund, wie sehr der Bettler sie in allem an ihren Herrn erinnere, und Odysseus bestätigte, daß alle das sagten, die sie beide gesehen hätten. Als sie begann, seine Füße zu waschen, fiel ihm plötzlich die Narbe an seinem Bein ein. In seiner Jugend hatte ihn einst ein Eber verwundet, als er seinen Großvater Autolykos und seine Onkel auf der Jagd auf dem Berg Parnaß begleitet hatte. Er rückte rasch vom hellen Feuer ab, doch Eurykleia fühlte und erkannte die Narbe dennoch. In ihrer Aufregung ließ sie den Fuß los, das Becken

> Kippte zur Seite um, und das Wasser floß über den Boden.
> Freude und Schmerz zugleich ergriffen sie, und ihre Augen
> Füllten mit Tränen sich an, und es stockte die blühende Stimme.
>
> (19,470–472)

Odysseus und Eurykleia
Als Eurykleia die Füße des Bettlers wäscht, fühlt sie die Narbe an seinem Bein und erkennt in dem Fremden Odysseus. Attischer rotfiguriger Skyphos (Trinkbecher), um 460–440 v. Chr.

Sowie sie sich wieder gefaßt hatte, machte sie Anstalten, ihre Entdeckung Penelope mitzuteilen; doch Odysseus packte sie mit festem Griff an der Kehle und schärfte ihr ein, keiner Menschenseele zu verraten, wer er sei, ehe er die Freier bezwungen habe. Von dem ganzen Vorfall hatte Penelope nichts bemerkt, denn sie war völlig in ihre eigenen Gedanken versunken gewesen. Als Eurykleia neues Wasser geholt und ihre Arbeit beendet hatte und Odysseus wieder am Feuer saß, wandte sie sich jedoch erneut an ihn und schilderte ihm abermals ihre schwierige Lage: Sollte sie heiraten und damit Telemach von der Last ihrer Anwesenheit und der ihrer Freier erlösen, oder sollte sie weiter auf Odysseus' Rückkehr warten? Sie fragte den Bettler, ob er ihr einen Traum deuten könne, den sie vor kurzem gehabt hatte und in dem ein großer Adler von den Bergen herab gekommen war, sich auf ihre zwanzig Lieblingsgänse gestürzt und alle getötet hatte; dann hatte sich der Vogel auf einem Dachbalken niedergelassen und ihr erklärt, die Gänse seien die Freier und er selbst sei ihr Gatte Odysseus. Der Bettler Odysseus versicherte, daß ihr Traum sich erfüllen würde und alle Freier dem Untergang geweiht seien, doch die verständige Penelope entgegnete, Träume seien verworren,

> Und nicht alles, was sie verkünden, geht in Erfüllung.
> Denn den kraftlosen Träumen sind zweierlei Pforten
> beschieden,
> Diese sind aus Hörnern gebaut, aus Elfenbein jene.
> Die nun durch die Tür aus gesägtem Elfenbein kommen,
> Diese sind täuschender Trug mit unerfüllbaren Worten;
> Die aber aus der Tür mit geglätteten Hörnern hervorgehn,
> Bringen Wahres zustand [...].
> (19,561–567)

Bevor sie sich zur Nachtruhe in ihre Gemächer zurückzog, um sich, gequält von der Sehnsucht nach dem Gatten, in Schlaf zu weinen, weihte sie den Bettler noch in ihre Absicht ein, einen Wettkampf für die Freier zu veranstalten. Sie wollte zwölf Äxte in einer Reihe aufstellen und die Freier auffordern, Odysseus' großen Bogen zu spannen und einen Pfeil durch alle zwölf hindurch zu schießen. Denjenigen, dem dieses Meisterstück gelänge, das Odysseus selbst häufig vorgeführt hatte, würde sie heiraten.
Am nächsten Morgen holte Penelope den großen Bogen des Odysseus hervor und kündigte den Freiern den Wettkampf an, von denen jeder auf seinen Sieg hoffte. Telemach bereitete die Halle für den Wettstreit vor und versuchte dann selbst, den Bogen zu spannen. Er mußte all seine Kräfte aufbieten, hätte es aber wohl geschafft, wäre ihm nicht von Odysseus Einhalt geboten worden. Nun mühten sich die Freier der Reihe nach ab, aber keiner vermochte den Bogen zu spannen, geschweige denn, einen Pfeil durch alle zwölf Äxte zu schießen. Während sie ihre Kräfte maßen, schlich Odysseus aus der Halle, gab sich dem Schweinehirten Eumaios und dem ebenso vertrauenswürdigen Rinderhirten Philoitios zu erkennen und wies sie an, ihm zu Hilfe zu kommen, wenn er ihnen ein Zeichen gebe. Als dann auch noch einer der bei-

den Anführer der Freier, Eurymachos, den Versuch erfolglos abbrechen mußte, schlug der andere, Antinoos, vor, den Wettkampf auf den nächsten Morgen zu vertagen: Schließlich feiere das Volk das Fest des Gottes, »und wer wollte da Bogen spannen?« (21,259). Außerdem sollten sie dem »bogenberühmten« Apollon ein Opfer darbringen, ehe sie den Wettkampf fortsetzten. Sein Vorschlag fand allgemeinen Beifall. Als sie den Weihguß getan hatten, fragte Odysseus, ob man ihm gestatte, sich am Bogen zu versuchen. Antinoos lehnte die Bitte ab, doch Penelope, die den Wettkampf beobachtet hatte, bestand darauf, daß man ihm einen Versuch zugestehe. Nun griff Telemach ein, der seine Mutter in ihre Gemächer schickte. Im allgemeinen Durcheinander brachte der Schweinehirte Eumaios Odysseus den Bogen. Dieser drehte und wendete die vertraute Waffe, um festzustellen, ob sie nach all den Jahren, in denen sie nicht benutzt worden war, noch funktionstüchtig und unbeschädigt sei, und

> So wie ein Mann, der der Leier kundig und des Gesanges,
> Über den neuen Wirbel leicht die Saite sich aufspannt
> Und den gedrehten Schafdarm an beiden Seiten befestigt,
> Also mühelos spannte den großen Bogen Odysseus.
> Und er griff mit der rechten Hand und prüfte die Sehne;
> Und die klang hell auf, der Stimme der Schwalbe vergleichbar.
> (21,406–411)

Ruhig und ohne Aufregung nahm er einen Pfeil,

> Faßte ihn vorne am Bügel und zog dann Sehne und Kerbe
> Und entsandte den Pfeil im Sitzen von seinem Stuhl aus;
> Geradeaus zielend, verfehlte er nicht das äußerste Ende
> Sämtlicher Äxte; durch alle hindurch bis draußen ins Freie
> Fuhr der erzbeschwerte Pfeil [...].
> (21,419–423)

Was dann folgte, bestürzte die verblüfften Freier noch mehr. Denn während Telemach den Platz neben seinem Vater einnahm, zielte Odysseus erneut, diesmal auf den Hals des Antinoos. Die

Freier, die nicht begriffen hatten, was vor sich ging, hielten Odysseus' tödlichen Schuß für einen Zufall. Wütend beschimpften sie den Bettler, doch als er ihnen eröffnete, wer er war und daß er vorhatte, sie allesamt zu töten, wurde ihnen ihre mißliche Lage erst richtig bewußt, und sie machten Anstalten, über ihn herzufallen. Trotz der Unterstützung des getreuen Schweinehirten Eumaios und des ergebenen Rinderhirten Philoitios hätten Odysseus und Telemach sich letzten Endes vielleicht doch der zahlenmäßigen Übermacht der Freier beugen müssen, hätte Athene nicht höchstpersönlich zu ihren Gunsten eingegriffen. Ein Freier nach dem anderen fiel im Kampf, und nur der Sänger und der Herold, die beide gegen ihren Willen gezwungen worden waren, den Freiern zu dienen, blieben verschont. Schließlich lagen sie allesamt hingestreckt

> [. . .] in Blut und Staub, wie Fische, welche die Fischer
> Aus dem grauen Meer ans hohle Gestade gezogen
> In dem maschigen Netz; nun liegen sie alle und lechzen
> Nach den Wogen der See, geschüttet auf trockenen Sandstrand;
> Doch der Sonne Schein, der raubte ihnen das Leben.
> (22,384–388)

Dann rief Odysseus, »ganz mit Blut und Schmutz besudelt, gleich einem Löwen, / der da von einem Rind auf dem Felde fraß und daherkommt« (22,402f.), Eurykleia zu sich. Sie ließ die Mägde, die sich mit den Freiern eingelassen hatten, die Halle säubern und aufräumen; danach wurden sie im Hof gehängt.

Penelope hatte derweil in einem von Athene gesandten Schlummer fest geschlafen und weder den Lärm des tobenden Kampfes noch der anschließenden Aufräumarbeiten gehört. Jetzt weckte Eurykleia sie und berichtete ihr von der Rückkehr ihres Gatten. Zu unerwartet kam die Nachricht für die Königin: Vor Überraschung wie gelähmt, vermochte sie zunächst weder zu glauben, daß der Fremde tatsächlich Odysseus war, noch wußte sie, was sie zu ihm sagen sollte. Ebenso vorsichtig wie ihr Ehegatte, wollte sie ihn einer letzten Prüfung unterziehen. In seiner Anwesenheit trug sie Eurykleia auf, das von Odysseus selbst gebaute große Bett vor die Schlafkammer zu stellen und dort herzurichten. Odysseus wußte, daß es nicht entfernt werden konnte, da der Stamm eines Olivenbaumes einen der Bettpfosten bildete. Erst als er, aufgebracht über ihre Halsstarrigkeit, die Konstruktion des Bettes genau geschildert hatte, war Penelope endlich überzeugt, daß er tatsächlich ihr so sehnsüchtig erwarteter Gatte war.

»[...] Da lösten sich ihr auf der Stelle das Herz und die Kniee,
Als sie die Zeichen erkannte, die sicher ihr nannte Odysseus.
Weinend eilte sie hin zu ihm und schlang ihre Hände
Um seinen Hals und küßte sein Haupt und sagte die Worte:
»Zürne mir nicht, Odysseus, da du auch sonst von den Menschen
Der verständigste bist; die Götter bescherten uns Jammer,
Die uns beiden mißgönnt, daß, beieinander wir bleibend,
Wir der Jugend uns freuten und kamen zur Schwelle des Alters.
Du aber zürne nun nicht darüber und nimm es nicht übel,
Daß ich dich nicht beim ersten Anblick liebend begrüßte.
Denn mir schauderte immer das Herz im Busen, es könne
Irgendein Sterblicher kommen und mich mit Worten betrügen;
Denn so viele gibt's, die sich üble Gewinne ersinnen. [...]«
(23,205–216)

Glücklich erneuerten die beiden »den Brauch des früheren Lagers« (23,296). Dann, »nachdem sich die beiden der Liebe erfreut, der ersehnten« (23,300), sprachen sie noch lange miteinander. Odysseus erzählte Penelope alle seine Abenteuer, und die Nacht schien kein Ende zu nehmen, da die Göttin Athene die heraufziehende Morgendämmerung an den Gestaden des Okeanos zurückgehalten hatte.

Iason, Medea und das Goldene Vlies

Das Goldene Vlies hatte ursprünglich einem Widder gehört, der als Nachkomme des Poseidon und der Theophane mit außergewöhnlichen Fähigkeiten begabt war und Phrixos, den Sohn des Königs Athamas von Orchomenos, davor bewahrte, auf Wunsch seiner bösen Stiefmutter Ino dem Zeus geopfert zu werden. Nach der Sage erschien der Widder, als Phrixos sterben sollte. Der Knabe und seine Schwester Helle klammerten sich an seinen Rücken, und das wundersame Tier flog mit den beiden Kindern ostwärts davon. Als sie sich über der Meerenge befanden, die Europa von Asien trennt, fiel Helle vom Rücken des Widders und stürzte ins Meer, das seitdem ihren Namen trägt: Hellespont – Meer der Helle. Phrixos indes flog weiter über das Schwarze Meer, bis der Widder ihn in Kolchis am Hof von König Aiëtes absetzte. Aiëtes empfing Phrixos freundlich, und als der Knabe den Widder Zeus geopfert hatte, schenkte er dessen wunderbares Vlies dem König. Aiëtes seinerseits widmete es Ares und nagelte es in einem dem Kriegsgott geweihten Hain an einen Baum, wo es von einem furchterregenden, niemals schlafenden Drachen bewacht wurde.

Warum wollte Iason das Goldene Vlies in seinen Besitz bringen? Er begehrte es nicht für sich selbst; vielmehr mußte er, wie andere Heroen auch, eine scheinbar unmögliche Tat vollbringen, um die Forderungen eines hartherzigen Auftraggebers zu erfüllen. In diesem Fall handelte es sich um Pelias, den König von Iolkos, der seinen Halbbruder Aison, den Vater des Iason und rechtmäßigen Thronerben, entmachtet hatte. Nach einigen Versionen der Geschichte sollte Pelias nur so lange herrschen können, bis Aisons

Sohn alt genug sei, um an seine Stelle zu treten. Deshalb war es kaum verwunderlich, daß Pelias Iason, als dieser plötzlich auftauchte und seinen Anspruch auf den Thron geltend machte, mit dem nach menschlichem Ermessen undurchführbaren Auftrag aussandte, ihm das Goldene Vlies zu bringen; dann wolle er ihm den Thron übergeben.

Doch dies ist nur der eine – gleichsam weltliche – Teil der Geschichte, denn auch hier ziehen im Hintergrund Götter die Fäden. In diesem Fall ist es Hera, die auf grausame Rache an Pelias sinnt, weil er ihr Heiligtum mit einem Mord entweiht hatte und ihr die geziemenden Ehrungen beharrlich verweigerte. Die Göttin hatte die Zauberin Medea aus Kolchis dazu auserkoren, Pelias zu beseitigen, und mit Hilfe Iasons glaubte sie, diese von den Gestaden des Schwarzen Meeres in das griechische Iolkos locken zu können.

Die Suche nach dem Vlies wird in dem Bericht über die Reise der *Argo* und die Abenteuer ihrer Mannschaft, der Argonauten, geschildert. Die Sage ist wahrscheinlich älter als die *Ilias* und die *Odyssee*, doch ist sie uns im wesentlichen durch ein viel jüngeres Epos, die *Argonautika* des alexandrinischen Dichters Apollonios Rhodios, überliefert.

Es waren um die fünfzig Argonauten, und wenn auch die Quellen hinsichtlich einiger Namen voneinander abweichen, so sind doch die Hauptpersonen unumstritten. Neben Iason selbst zählten zu ihnen Argos, der die Argo gebaut hatte; Tiphys, der Steuermann; der Sänger Orpheus; Zetes und Kalaïs, die Söhne des Nordwindes; Helenas Brüder Kastor und Polydeukes; Peleus, der Vater des Achilleus; Meleager, der sich bei der Jagd nach dem Kalydonischen Eber einen Namen machte; Laërtes und Autolykos, Vater und Großvater des Odysseus; Admetos, der später seine Gattin an seiner Stelle sterben lassen sollte; der Seher Amphiaraos und, während des ersten Teils der Reise, Herakles höchstpersönlich; neben diesen »weitberühmten« Männern waren noch eine ganze Reihe weiterer Heroen an dem Unternehmen beteiligt. Ihr Schiff, die *Argo*, deren Name »flink« bedeutet, war das schnellste, das bis dahin jemals entworfen worden war. Es wurde im Hafen von Paga-

Der Bau der Argo
Einer der Argonauten arbeitet am Bug des Schiffes, während ein zweiter, von der Göttin Athene unterstützt, das Segel an der Rahe befestigt. Römisches Terrakottarelief (»Campanarelief«), 1. Jh. v. oder n. Chr.

sai in Thessalien gebaut, und zwar ausschließlich aus Holz vom Berg Pelion, mit Ausnahme des Buges, der aus einem Stück einer heiligen Eiche bestand, das die Göttin Athene vom Heiligtum des Zeus in Dodona geholt hatte. Dieses Stück Eichenholz hatte seherische Fähigkeiten und konnte, wenn nötig, auch sprechen.

Die *Argo* setzte unter günstigen Vorzeichen Segel und nahm Kurs nach Norden zum Schwarzen Meer. Auf der Reise nach Kolchis hatte die Mannschaft zahlreiche Abenteuer zu bestehen. Nachdem sie bei ihrem ersten Landgang auf Lemnos zunächst auf Wunsch der Königin für Nachkommenschaft gesorgt hatten – die Lemnierinnen hatten vor Jahren aus Eifersucht alle Männer auf der Insel getötet –, kam es schon bald zu weniger erfreulichen Zwischenfällen, wie etwa dem Angriff von sechsarmigen, riesigen Ungeheuern, den Kapidagi, auf ihr Schiff und dem nächtlichen Gefecht mit den ihnen eigentlich freundlich gesinnten Dolionen, die von ihnen in der Dunkelheit für Räuber gehalten wurden. In Mysien schließlich verloren sie Herakles, als ein anderes Mitglied der Mannschaft, ein schöner Jüngling namens Hylas, von der Suche nach frischem Wasser für ein Festmahl nicht mehr zum Schiff zurückkehrte. Die Nymphen der von ihm aufgespürten Quelle waren von seiner Schönheit so betört, daß sie ihn zu sich ins Wasser zogen und ertränkten; doch Herakles weigerte sich, die Suche nach dem jungen Mann abzubrechen, und so segelte die *Argo* am nächsten Morgen ohne ihn weiter.

Nach einem Zusammentreffen mit den Bebrykern, bei dem Polydeukes einen Boxkampf mit dem blutrünstigen König Amykos austragen mußte und diesen dabei tötete, erreichten die Argonauten Salmydessos am griechischen Ufer des Bosporus. Dort begegneten sie dem alten König Phineus, einem blinden Seher und Sohn des Poseidon, den die Götter mit einem schrecklichen Fluch belegt hatten. Jedesmal, wenn er sich zu einer Mahlzeit niedersetzte, wurde er von den Harpyien heimgesucht, schrecklichen Wesen, halb Weib, halb Vogel, die ihm einen Teil des Essens mit Schnäbeln und Klauen wegschnappten und den Rest mit ihrem Kot beschmutzten. Die Argonauten stellten diesen Ungeheuern eine Falle. Sie luden Phineus ein, ihr Mahl zu teilen, und als die Harpyien erwartungsgemäß auftauchten, zogen Zetes und Kalaïs, die geflügelten Söhne des Nordwindes, ihre Schwerter und verfolgten sie, bis sie, völlig erschöpft, versprachen, von ihrem schändlichen Tun abzulassen. Der dankbare Phineus enthüllte den Argonauten, was er über ihre Reise wußte: Die größte Gefahr drohe ihnen von den in unregelmäßigen Abständen zusammenschlagenden Felsen der Symplegaden am nördlichen Ausgang des Bosporus. Wenn sie diese erreichten, sollten sie zunächst eine Taube ausschicken; finde die Taube den Weg zwischen den Felsen hindurch, werde auch die *Argo* die andere Seite erreichen; gelinge der Taube dies indes nicht, sollten sie mit ihrem Schiff umkehren, denn dann sei ihr Unternehmen zum Scheitern verurteilt.

Die ausgesandte Taube passierte mühelos den tückischen Engpaß, lediglich die längste ihrer Schwanzfedern mußte sie zwischen den zusammenprallenden Felsen eingeklemmt zurücklassen; daraufhin fuhr die *Argo* zwischen die nun wieder auseinanderklaffenden Felsen und erreichte, bis auf eine unbedeutende Beschädigung der Heckverzierung unbeschadet, die andere Seite. Die Symplegaden aber blieben, nachdem sie sich wieder geöffnet hatten, für immer unbeweglich an Ort und Stelle, denn die Götter hatten bestimmt, daß sie nie mehr zusammenschlagen sollten, wenn einmal einem Schiff die Durchfahrt gelänge.

Nach einigen weiteren Abenteuern gelangten die Argonauten schließlich sicher nach Kolchis. Aiëtes, dem kolchischen König, war prophezeit worden, er werde die Herrschaft so lange innehaben, wie das Goldene Vlies sich im Hain des Ares befände. Deshalb stellte er Iason eine seines Erachtens unerfüllbare Bedingung, als dieser ihm den Grund seines Kommens genannt hatte: Er verlangte, daß Iason zwei feuerschnaubende Stiere mit ehernen Hufen, ein Geschenk des Gottes Hephaistos, ins Joch spanne, ein Feld pflüge, darauf Zähne des Drachen aussäe, den Kadmos in Theben getötet hatte (Aiëtes hatte diese Zähne von Athene erhalten) und die bewaffneten Männer, die sogleich aus der Saat hervorgehen würden, vernichte, ehe er das Goldene Vlies entfernen dürfe. Etwas voreilig stimmte Iason diesen Bedingungen zu, doch zum Glück half ihm Medea, eine Tochter des Königs, die über Zauberkräfte verfügte, bei ihrer Erfüllung. Medea, die sich – mit etwas göttlicher Nachhilfe – auf den ersten Blick unsterblich in den schönen jungen Mann verliebt hatte, nahm Iason das Versprechen ab, daß er sie nach Iolkos mitnehmen werde; dann gab sie ihm ein Zaubermittel, mit dem er Körper und Schild bestreichen sollte; dadurch würde jeder Angriff, gleichgültig, ob mit Feuer oder Eisen, von ihm abprallen. Auch wie er mit den Bewaffneten fertigwerden konnte, die den ausgesäten Drachenzähnen entspringen würden, verriet sie ihm: Er solle Steine zwischen sie werfen, dann würden sie aufeinander losgehen, statt ihn anzugreifen. So gewappnet und gewarnt, gelang es Iason, sich aller Aufgaben erfolgreich zu entledigen.

Aiëtes, von Mut und Tüchtigkeit seines Gastes etwas überrascht, war indes noch immer nicht bereit, ihm das Vlies zu überlassen, und plante sogar, die *Argo* in Brand zu stecken und ihre Mannschaft zu töten. Medea war klar, daß auch sie selbst in Gefahr war und daß sie fliehen mußten. Sie führte den Griechen in den geweihten Hain und betäubte den Drachen, der das Vlies bewachte. Iason brachte die begehrte Trophäe rasch an sich, und gemeinsam mit den anderen Argonauten stachen sie unbehelligt in See. Als Aiëtes feststellte, daß sowohl das Vlies als auch seine Tochter fort waren, nahm er die Verfolgung der Flüchtenden auf, doch auch das hatte Medea vorhergesehen. Sie hatte ihren jüngeren Bruder Apsyrtos mitgenommen, den sie nun ermordete und in kleine Stücke zerschnitt, die sie über Bord warf. Wie sie vermutet hatte, ließ Aiëtes die Verfolgung unterbrechen, um die Stücke aus dem Wasser zu fischen, und die *Argo* konnte sicher entkommen.

Die von der *Argo* auf ihrer Heimfahrt gewählte Route hat vielen Wissenschaftlern Rätsel aufgegeben. Anstatt durch den Hellespont zurückzukehren, verließ Iason das Schwarze Meer und fuhr einen Donau-(Istros-)Arm hinab, der wunderbarerweise in die Adria mündete; damit nicht genug, segelte die *Argo* auch noch den Fluß Eridanos, der häufig mit dem Po gleichgesetzt wurde, hinauf und ein Stück den Rhein hinunter, ehe sie irgendwie (vermutlich die Rhône abwärts) wieder in die vertrauteren Gewässer des Mittelmeers gelangte. Und wo immer die Argonauten hinkamen, hatten sie wundersame Abenteuer zu bestehen. Zwar gelang es ihnen, dank der Hilfe und Zusammenarbeit einer ganzen Reihe von Göttinnen und Göttern, die Insel Anthemoessa, auf der die Sirenen mit ihrem Gesang die Seeleute ins Verderben lockten, ebenso unbeschadet zu passieren wie die Klippe der Skylla, den Strudel Charybdis und die gefürchteten Felsen der Planktai, doch wurde die *Argo* später während eines Sturms in die Kleine Syrte im Westen des Libyschen Meeres abgetrieben und dort von einer Welle aufs Land geworfen. Da es angesichts zahlreicher Untiefen und dichten Seetangs aussichtslos schien, wieder in offene Gewässer zu gelangen, selbst wenn sie das Schiff zum Wasser zurückgetragen hätten, ergaben sich die Argonauten entmutigt in ihr Schicksal. Erst eine – zunächst allerdings nicht recht verständliche – Prophezeiung der Schutznymphen des Landes ließ sie wieder Mut und Kraft fassen, und in einem neuntägigen Marsch trugen sie die riesige *Argo* auf den Schultern, bis sie zu dem Salzwassersee Tritonis gelangten. Dort führte sie die Suche nach Trinkwasser in die Gärten der Hesperiden, wo sie ihren ehemaligen Gefährten Herakles nur knapp verfehlten. Er hatte sich tags zuvor der goldenen Äpfel bemächtigt, die zu holen Eurystheus ihm aufgetragen hatte. Nur mit göttlicher Hilfe – diesmal war es der Meeresgott Triton, der ihnen beistand –, fanden sie aus dem See wieder auf das offene Meer hinaus. Vor Kreta schließlich kam es zu einer Begegnung mit dem bronzenen Giganten Talos, einem von Hephaistos geschaffenen Wesen, das gleichsam als eine Art Küstenwache für den kretischen König Minos fungierte. Der Gigant umkreiste die Insel jeden Tag dreimal und hielt Fremde fern, indem er Felsbrocken aus den Klippen brach und sie nach Schiffen warf, die sich zu nahe heranwagten. Bis auf eine Stelle, eine Ader in seinem Fuß, war er unverwundbar; wurde er allerdings dort verletzt, würde seine Lebenskraft entweichen. Medea gelang es, ihn zu behexen. Wie von Sinnen warf er sich gegen die Felsen. Dabei schlug er den verwundbaren Fuß an einem Stein auf und verursachte so seinen eigenen Tod.

Als Iason zu guter Letzt nach Iolkos zurückkehrte, übergab er Pelias das Goldene Vlies. Über das, was dann geschah, gibt es verschiedene Berichte. Nach einer Version brachte Medea, die inzwischen Iasons Gemahlin war, Pelias' Töchter mit einer List dazu, ihren Vater zu ermorden. Zunächst stellte sie ihre Fähigkeit unter Beweis, Mensch und Tier zu verjüngen. Dazu mischte sie in einem Kessel mit kochendem Wasser verschiedene Zaubertränke, schlachtete dann einen Widder, zerlegte ihn und ließ die Stücke in das Gebräu fallen: augenblicklich tauchte ein junges Lämmchen daraus hervor. Voller Begeisterung und mit den besten Absichten machten sich Pelias' Töchter flugs daran, ihren alten Vater zu zerstückeln und in dem Kessel zu kochen; unglücklicherweise führten sie damit indes nur sein vorzeitiges Ende herbei. Hera aber hatte endlich ihren Rachedurst gestillt und nun scheinbar jedes weitere Interesse an Iason verloren.

Der Skandal nach Pelias' Tod veranlaßte Iason und Medea zur Flucht nach Korinth, wo sie mindestens zehn Jahre glücklich zusammen lebten und zwei gemeinsame Kinder hatten. Im Laufe der Zeit wurde Iason jedoch seiner Frau überdrüssig und wollte sie verlassen, um Glauke, die junge Tochter des Königs von Korinth, zu heiraten. Medea, rasend vor Eifersucht, schenkte Glauke ein Gewand, das, als sie es anlegte, an ihrer Haut kleben blieb und sich wie Feuer einbrannte; als ihr Vater seiner gemarterten Tochter zu Hilfe kommen wollte, konnte auch er sich nicht mehr lösen, und beide starben eines jämmerlichen Todes. Um Iason noch weiter zu bestrafen, ermordete sie danach ihre eigenen Kinder, ehe sie in einem von geflügelten Drachen gezogenen Wagen in den Himmel entfloh.

Iasons Ruhm war rasch verblaßt, und schließlich kehrte er nach Iolkos zurück, das er später zusammen mit Peleus und den Dioskuren zerstörte. Über sein Ende gibt es widersprüchliche Berichte. Eine Version erzählt, er sei, umdüstert in dem verrottenden Rumpf der *Argo* sitzend, von einem herabfallenden Holzstück jenes Schiffes erschlagen worden, als dessen Führer er sich einst seinen Ruhm erworben hatte.

Medea und der Widder
Medea demonstriert ihr Zauberrezept für Verjüngung, indem sie einen Widder in einem großen Kessel kocht; überraschenderweise handelt es sich bei dem älteren Mann, der das Experiment beobachtet, nicht um Pelias, sondern um Iason selbst. Attische rotfigurige Hydria (Wasserkrug), um 480 v. Chr.

Perseus und Medusa

Nach dem Bericht des alexandrinischen Gelehrten Apollodor wäre Perseus, der sagenhafte Gründer von Mykene, gar nicht geboren worden, wenn es nach dem Willen seines Großvaters gegangen wäre. Akrisios, der König von Argos, war der Vater einer schönen Tochter, Danaë, doch war er enttäuscht, daß er keinen Sohn hatte. Als er ein Orakel befragte, wie es um die Geburt eines männlichen Erben bestellt sei, erhielt er die Antwort, daß er selbst keinen Sohn zeugen, im Laufe der Zeit jedoch einen Enkel bekommen werde, dem es bestimmt sei, seinen Großvater zu töten. Akrisios war emsig bemüht, seinem Schicksal zu entgehen. Er schloß Danaë in einem ehernen Gemach ein, und dort schmachtete sie in vollkommener Abgeschiedenheit bis zu dem Tag, da Zeus sie in Gestalt eines goldenen Regenschauers besuchte; neun Monate später brachte sie Perseus zur Welt. Akrisios war außer sich, doch noch immer glaubte er, das ihm drohende Unheil abwenden zu können. Er ließ von seinem Zimmermann eine große Truhe anfertigen, zwang Danaë mit dem Neugeborenen hineinzusteigen und setzte sie auf dem Meer aus. Zeus sorgte jedoch dafür, daß die Wogen Mutter und Kind nichts anhaben konnten, und nach einer beschwerlichen Reise wurde die Truhe auf Seriphos, einer der Kykladeninseln, an Land gespült. Hier fand Diktys, ein ehrbarer Fischer, die beiden und kümmerte sich um sie.

Diktys' Bruder Polydektes, der König von Seriphos, verliebte sich später in Danaë, doch der heranwachsende Perseus beschützte seine Mutter eifersüchtig vor den unwillkommenen Nachstellungen des Königs. Um den Sohn in die Irre zu führen, kündigte Poly-

Danaë, Perseus und Akrisios
Akrisios erteilt seinem Zimmermann Anweisung, letzte Hand an die Truhe zu legen, in der er Danaë und Perseus dem Meer preiszugeben beabsichtigt. Danaë und die Amme, die das Kind trägt, machen Akrisios Vorhaltungen, Perseus selbst scheint indes mehr an der Arbeit des Zimmermanns interessiert zu sein. Attische rotfigurige Hydria (Wasserkrug), um 490 v. Chr.

dektes eines Tages seine Vermählung mit der Tochter des Königs von Pisa an. Während eines Festgelages fragte er dann jeden seiner Gäste, welches Hochzeitsgeschenk er ihm zugedacht habe. Alle versprachen ihm Pferdegespanne, nur Perseus, der keine Pferde besaß, erbot sich, dem König irgend etwas anderes zu schenken, worum dieser ihn bitte – wenn er es wünsche, sogar das Haupt einer Gorgo. Als Polydektes ihn beim Wort nahm, war Perseus gezwungen, sein Versprechen einzulösen. Es gab drei Gorgonen; sie hatten »Häupter, mit Drachenschuppen überdeckt, Hauer wie von Wildschweinen, eherne Hände und goldene Flügel, mit denen sie flogen«, beschreibt Apollodor die Ungeheuer. Zwei waren unsterblich, die dritte aber, Medusa, war sterblich und damit potentiell verwundbar; die Schwierigkeit bestand darin, daß jeder, der in die grausigen Gesichter der Gorgonen blickte, sofort in Stein verwandelt wurde. Glücklicherweise wurde Perseus göttliche Hilfe zuteil. Athene (oder auch Hermes) zeigte ihm den Weg zu den Graiai, den Grauen Frauen. Die drei betagten, von Geburt an grauhaarigen Schwestern besaßen zusammen nur ein Auge und einen Zahn, die sie abwechselnd benutzten. Perseus gelang es, sich des Auges und des Zahnes zu bemächtigen, als die eine Schwester sie der anderen reichte, und er gab sie nicht eher zurück, als bis ihm die Graiai den Weg zu den Nymphen gewiesen hatten, die ihn mit alldem ausstatten konnten, was er brauchte, um Medusa zu überwinden. Die Nymphen gaben ihm bereitwillig, worum er sie bat: die Kappe der Dunkelheit, die ihn unsichtbar machte und damit die Voraussetzung schuf, die Gorgo zu überraschen und sich nach dem Angriff der Verfolgung durch ihre schnellfliegenden Schwestern zu entziehen; geflügelte Stiefel, mit denen er ebenfalls fliegen konnte, und einen besonderen Beutel, um den abgehauenen Kopf der Medusa aufzunehmen. Hermes gab ihm darüber hinaus noch eine sichelförmige Waffe. Derart gut gerüstet, machte sich Perseus auf die Suche nach Medusa. Mit Athenes Hilfe, die einen Bronzespiegel hochhielt, in dem er das Spiegelbild der Gorgo sehen konnte, ohne in ihr grauenvolles Gesicht selbst blicken zu müssen, gelang es ihm schließlich, das Ungeheuer zu töten. Nachdem er das Haupt sicher in seiner Tasche verwahrt hatte, machte er sich unverzüglich auf den Heimweg nach Seriphos, wobei ihm Tarnkappe und geflügelte Stiefel sehr zustatten kamen.

Als Perseus über die äthiopische Küste hinwegflog, erblickte er unten ein schönes Mädchen, das an einen Felsen gekettet war. Es handelte sich um Andromeda, deren eitle Mutter, die Königin Kassiopeia, Poseidons Zorn erregt hatte, weil sie sich damit brüstete, schöner zu sein als die Töchter des Meeresgottes Nereus, die Nereïden. Zur Strafe schickte Poseidon ein Meeresungeheuer, welches das Königreich verwüstete und nur besänftigt werden

Perseus und die Gorgo
Perseus sticht die Gorgo Medusa in den Hals. Er wendet das Gesicht ab, weil jeder Sterbliche bei ihrem Anblick in Stein verwandelt wurde. Rechts steht der Gott Hermes und beobachtet ihn. Attische schwarzfigurige Oinochoë (Weinkanne), um 540 v. Chr.

konnte, wenn der König seine Tochter Andromeda opferte. Kepheus sah sich gezwungen, dem Druck der Äthiopier nachzugeben: Die Prinzessin wurde nackt an ein Felsenriff an der Küste gefesselt, wo ein grausames Schicksal sie erwartete. Perseus verliebte sich auf den ersten Blick in Andromeda, tötete das Meeresungeheuer und befreite sie. Die erfreuten Eltern gaben ihm ihre Toch-

Andromeda
Die äthiopische Prinzessin beobachtet, von zwei Sklaven gestützt, wie die beiden Pfähle zurechtgemacht werden, an die sie gekettet werden soll, um auf das Meeresungeheuer zu warten. Ihr Vater sitzt hinter den Pfählen, die Hände vor dem Gesicht; auf dem Foto nicht mehr zu sehen ist Perseus, der von rechts zu Hilfe eilt. Attische rotfigurige Hydria (Wasserkrug), um 450 v. Chr.

ter zur Frau, auf die jedoch auch Phineus, der Bruder des Königs, Anspruch erhob; denn er war bereits mit der Prinzessin verlobt gewesen. Es kam zum Kampf zwischen den beiden Rivalen und ihren Verbündeten, in dessen Verlauf Perseus das Haupt der Medusa aus der Tasche zog. Bei dessen Anblick wurden seine Gegner augenblicklich zu Stein.

Schließlich kehrten Perseus und Andromeda nach Seriphos zurück. Polydektes hatte nicht damit gerechnet, daß sein Widersacher die Aufgabe lösen würde, und für Perseus muß es eine große Befriedigung gewesen sein, zu beobachten, wie der Tyrann beim Anblick des Gorgonenhauptes versteinerte. Danach gab Perseus Hermes die ihm überlassenen Gegenstände zurück, und Athene schenkte er das Haupt der Gorgo, die es als Emblem in der Mitte ihres Schildes anbrachte.

Perseus überließ Diktys den Thron von Seriphos und machte sich zusammen mit Danaë und Andromeda auf den Weg nach Argos, durchaus geneigt, Akrisios die einstige grausame Behandlung zu vergeben und sich mit dem alten König zu versöhnen. Als Akrisios von ihrem Kommen erfuhr, floh er vor der Bedrohung, die die Anwesenheit seines Enkels für ihn darstellte, und aus Angst vor dessen Rache nach Thessalien, wohin Perseus ihm folgte. Einander unbekannt, nahmen beide an den Leichenspielen zu Ehren des Königs von Larisa teil, die gerade stattfanden. Hier ereilte ihn das vom Orakel verkündete Schicksal: Perseus, an sich ein geschickter Diskuswerfer, traf Akrisios, der sich unter den Zuschauern befand, unabsichtlich mit der Scheibe und tötete ihn auf der Stelle.

Perseus hielt es offenbar für ungeziemend, nach Argos zurückzukehren und Anspruch auf den Thron des Mannes zu erheben, den er gerade getötet hatte. Deshalb tauschte er sein Königreich gegen das seines Vetters Megapenthes: Megapenthes ging nach Argos, während Perseus in Tiryns herrschte und die in der Nähe liegenden Städte Midea und Mykene mit Mauern befestigte.

Über Perseus' weiteres Leben und sein Ende ist nur wenig bekannt, doch hatte Mykene offenbar ihm die Vorherrschaft unter den Städten der Argolis zu verdanken, die erst mit Agamemnons Tod ein Ende fand.

Ödipus und der thebanische Sagenkreis

Der sich mit den Geschicken der Stadt Theben und ihrer Königsfamilie befassende Sagenkreis ist mit Sicherheit so alt wie die in der *Ilias* und der *Odyssee* zusammengetragenen Geschichten, doch ist er uns großenteils durch wesentlich spätere Quellen überliefert. So berichtet der römische Dichter Ovid in seinen *Metamorphosen* von der Gründung Thebens, während die Geschichten von Pentheus und Ödipus durch die Tragödien des Aischylos, Sophokles und Euripides im Athen des 5. Jahrhunderts auf uns gekommen sind.

Kadmos und die Gründung Thebens

Kadmos war einer von drei Söhnen des Agenor, des Königs der phönizischen Stadt Tyros. Ihre Schwester, die schöne Europa, wurde von Zeus in Gestalt eines weißen Stieres nach Kreta entführt, als sie am Strand spielte und zutraulich auf seinen Rücken kletterte. Agenor befahl seinen Söhnen, ihre Schwester zu suchen, ohne sie dürften sie nicht nach Haus zurückkehren. Im Verlauf seiner Wanderschaft gelangte Kadmos nach Delphi, wo das Orakel ihm verkündete, er werde vor dem Heiligtum eine Kuh finden und solle an der Stelle eine Stadt gründen, an der sich die Kuh schließlich niederlegen würde. Das Tier führte ihn bis nach Südböotien, wo es sich auf einem Hügel in der Nähe des Flusses Asopos niederließ. Kadmos wußte nun, daß hier die Stadt entstehen sollte, und beschloß, die Kuh den Göttern zu opfern. Er sandte

einige seiner Gefolgsleute aus, um aus einer nahe gelegenen Quelle das für die Opferzeremonie benötigte frische Wasser zu holen. Die Quelle war indes dem Kriegsgott Ares heilig und wurde von einem schrecklichen Drachen bewacht, der Kadmos' Männer angriff und verschlang. Als Kadmos nach ihnen suchte, fand er nur noch ein paar Knochen und das riesige Ungeheuer, das nach der opulenten Mahlzeit träge dalag. Obwohl er allein und nur leicht bewaffnet war, gelang es ihm, den Drachen zu töten, dessen Zähne er dann auf Athenes Anweisung hin aussäte. (Einen Teil der Zähne bewahrte Athene jedoch auf, um sie später Aiëtes, dem König von Kolchis zu geben – vgl. das Kapitel »Iason, Medea und die Argonauten«.) Augenblicklich erwuchs daraus eine ganze Schar mit Schwertern und Speeren bewaffneter Krieger. Sie hätten sich auf Kadmos gestürzt, wäre jenem nicht der rettende Einfall gekommen, einen großen Stein zwischen sie zu werfen; daraufhin begannen die »gesäten Männer«, sich gegenseitig in Stücke zu hacken, bis nur noch fünf von ihnen übrig waren; diese fünf schlossen sich Kadmos an und wurden die Begründer der fünf bedeutenden Familien Thebens.
Als Buße für die Tötung des Drachens mußte Kadmos dem Kriegsgott acht Jahre lang dienen, doch dann wurde die von ihm gegründete Stadt rasch reich und mächtig, und der Wohlstand ihres Gründers wuchs mit ihr. Er heiratete Harmonia, die Tochter des Ares und der Aphrodite; sie gebar ihm die vier Töchter Ino, Autonoë, Agauë und Semele, und einen Sohn, Polydoros, die ihrerseits wiederum Nachkommen hatten. Autonoë war die Mutter des Aktaion, des hervorragenden Jägers, der von seinen eigenen Hunden zerrissen wurde, nachdem Artemis ihn zur Strafe, weil er sie beim Baden nackt sah, in einen Hirsch verwandelt hatte. Die schöne Semele wurde von Zeus verführt und mit seinem Sohn, dem Weingott Dionysos, schwanger. Zeus' göttliche Gemahlin Hera war wieder einmal eifersüchtig. Sie verwandelte sich in Semeles Amme Beroë und überredete Semele dazu, Zeus zu bitten, ihr in derselben Gestalt zu erscheinen wie Hera. Da Semele Zeus das Versprechen abgenommen hatte, ihr jede Bitte zu erfüllen, mußte er als Blitz zu ihr kommen, der sie bei lebendigem Leibe

Kadmos und die Schlange
Kadmos (links) nähert sich mit gezogenem Schwert der sich aufbäumenden Schlange; beobachtet wird er dabei u.a. von der Göttin Athene und der Personifikation Thebens, seiner künftigen Stadt. Attische rotfigurige Hydria (Wasserkrug), um 430–410 v.Chr.

verbrannte. Zeus holte das Kind aus ihrem Schoß und pflanzte es sich in den eigenen Schenkel ein, aus dem es nach entsprechender Zeit geboren wurde.
Semeles Geschwister weigerten sich zu glauben, daß Zeus für den Zustand ihrer Schwester bzw. für ihren Tod verantwortlich war. Während sich die Verehrung des Dionysos über ganz Griechenland ausbreitete und überall begeisterte Anhänger fand, sträubte sich Theben dagegen, vor allem Agauës Sohn und Dionysos' Vetter Pentheus.

Pentheus

Ein Hauptzug der Dionysos-Verehrung in klassischer Zeit waren die als Mänaden bekannten Anhängerinnen des Gottes, die sich in Gruppen zusammenschlossen, tagelang in ekstatischer Trance oder wilder Ausgelassenheit über die Hügel zogen, Wein tranken, Zicklein und Rehkitze säugten oder sie in Stücke rissen und roh verzehrten, Schlangen beschworen und in der Regel außer Rand und Band gerieten. Wegen dieses orgiastischen Aspekts und aufgrund der Tatsache, daß in erster Linie Frauen die begeisterte Anhängerschaft des Gottes bildeten, begegneten die männlichen Autoritätspersonen, die die Frauen im Haus und unter ihrer Kontrolle halten wollten, dem Dionysos-Kult mit Mißtrauen. Euripides' Tragödie *Die Bakchen* schildert einen extremen Fall von dionysischer Ausschweifung und männlichem Argwohn. In dem Stück kommt Dionysos nach Theben, entschlossen, die Geschwister seiner Mutter für den Mangel an Vertrauen in ihre Schwester und in ihn selbst zu bestrafen. Sämtliche Thebanerinnen, darunter auch die Schwestern der Semele, geraten vor Begeisterung für den Gott außer sich und eilen zum Berg Kithairon, wo sie an den wilden Festen zu Ehren des Dionysos teilnehmen. Pentheus, der König von Theben, begegnet seinem langhaarigen, unmännlich wirkenden Vetter mit beträchtlichem Mißtrauen, doch während der Gott ihn langsam zum Wahnsinn treibt, gesteht er sein Verlangen, sich zum Berg Kithairon zu begeben und die Mänaden bei ihren Festen zu beobachten. Dionysos bringt ihn hin und biegt eine hohe Pinie zur Erde herab, so daß Pentheus auf ihren Wipfel klettern und von dort aus die Frauen beobachten kann. Die Mänaden entdecken ihn indes bald, reißen den Baum aus und zerfetzen den König mit bloßen Händen. Am eifrigsten tut sich dabei Pentheus' eigene Mutter, Agauë, hervor, die triumphierend nach Theben zurückkehrt, in den Händen das Haupt ihres Sohnes, das sie in ihrer Raserei für den Schädel eines jungen Löwen hält. Am Ende des Stückes merkt sie, was sie getan hat, und alle anerkennen die Macht des Gottes.

Das Haus Ödipus

Ödipus, der Urgroßenkel des Kadmos, ist der nach Herakles heute vielleicht bekannteste griechische Heros; man kennt ihn als den klugen Kopf, dem es gelungen ist, das Rätsel der Sphinx zu lösen; eher traurige Berühmtheit dagegen erlangte er durch die Inzestbeziehung mit seiner Mutter. Im alten Griechenland trugen diese beiden Ereignisse zu seinem Ruf bei, doch war er darüber hinaus von allgemeinerer Bedeutung als Urtyp des tragischen Helden schlechthin; verkörperte seine Lebensgeschichte doch das universelle menschliche Unglück der Unwissenheit – das Unvermögen des Menschen, zu begreifen, wer er ist, und seine Blindheit gegenüber dem Schicksal.
Ödipus wurde in Theben als Sohn des Königs Laios und seiner Gemahlin Iokaste geboren. Da ein Orakelspruch verkündet hatte, daß Laios von seinem Sohn getötet würde, gab er den Neugeborenen einem Schafhirten, der ihn auf dem Berg Kithairon aussetzen sollte. Zuvor wurden dem Kind noch die Füße durchbohrt, damit es nicht fortkriechen konnte. Wegen dieser Verletzung wurde der Knabe später Ödipus – »Schwellfuß« – genannt. Der gutherzige Schafhirte brachte es indes nicht über sich, das Kind sich selbst zu überlassen, und übergab es der Obhut eines Schäfers auf der anderen Seite des Berges. Dieser Schäfer wiederum brachte es zu Polybos, dem König von Korinth, der, selbst kinderlos, den Knaben gern an Sohnes Statt aufzog. Als Ödipus herangewachsen war,

wurde er eines Tages von einem Betrunkenen verhöhnt, der behauptete, er sei nicht Polybos' eigen Fleisch und Blut; obwohl Polybos ihm versicherte, daß er sein Sohn sei, beschloß Ödipus, nach Delphi zu reisen und das Orakel zu befragen. Das Orakel klärte ihn zwar über seine Herkunft nicht auf, ließ ihn aber wissen, daß er seinen Vater ermorden und seine eigene Mutter heiraten werde. Zutiefst darüber entsetzt und ohne den Zweifeln an seiner Abstammung weiter nachzugehen, verließ er Delphi, entschlossen, nicht nach Korinth zurückzukehren, solange Polybos und seine Gattin am Leben waren.

Ohne daß Ödipus es wußte, befand sich auch sein wirklicher Vater in der Gegend von Delphi auf Reisen. An einem Engpaß, an dem drei Straßen sich kreuzten, begegnete Ödipus dem Wagen des Laios; einer der Bediensteten aus dem kleinen Gefolge des Königs befahl ihm barsch, Platz zu machen; Ödipus, nicht geneigt, der Aufforderung nachzukommen, schlug wütend zu. Der Wagenlenker fuhr rücksichtslos weiter, das Gefährt streifte den Ödipus, der zudem von Laios im Vorbeifahren einen Schlag mit dem Stab erhielt. Von Rachegefühlen übermannt, zerrte Ödipus den alten Mann aus dem Wagen und tötete ihn samt seinem Gefolge. Nur einer der Begleiter des Königs vermochte dem Gemetzel zu entkommen. Dann setzte Ödipus seinen Weg fort und vergaß den Vorfall.

Seinem Vorsatz entsprechend, machte Ödipus einen Bogen um Korinth und gelangte schließlich nach Theben, wo Kreon, der Bruder der Königin Iokaste, die Regentschaft ausübte, während König Laios auf Reisen war. Die Stadt wurde von der Sphinx in Angst und Schrecken gehalten, einem Ungeheuer, zur Hälfte geflügelter Löwe, zur Hälfte Frau, das die Frage stellte: »Was ist es, das auf vier, zwei und drei Beinen geht?« Jeden, der den Versuch wagte, das Rätsel zu lösen, und dabei eine falsche Antwort gab, stürzte die Sphinx in einen Abgrund, dessen Boden bereits mit den Gebeinen ihrer Opfer übersät war. Nach Bekanntwerden von König Laios' Tod bot Kreon, dessen Sohn das jüngste Opfer der Sphinx geworden war, demjenigen Thron und Hand der Königin, der das Rätsel lösen konnte und das Land (wie ein Orakelspruch besagte) damit von der Plage befreite. Ödipus fiel die richtige

Antwort leicht; schnell hatte er erkannt, daß es sich um den Menschen handeln mußte, der als Kleinkind auf allen vieren kriecht, in seiner Blüte aufrecht auf zwei Beinen einherschreitet und im Alter eines dritten Beines als Stütze bedarf – eines Stocks. Als die Sphinx die Antwort vernahm, war sie so wütend und gedemütigt, daß sie sich selbst in den Abgrund stürzte.

Die Bürger Thebens bereiteten Ödipus einen begeisterten Empfang und machten ihn zu ihrem König; er heiratete Iokaste, mit der er viele Jahre lang glücklich und in vollkommener Eintracht lebte. Ödipus erwies sich als weiser und gütiger Herrscher, und Iokaste gebar ihm zwei Söhne, Eteokles und Polyneikes, und zwei Töchter, Antigone und Ismene. Schließlich suchte jedoch erneut eine Plage Theben heim. An diesem Punkt setzt Sophokles' große Tragödie *König Ödipus* ein: Die Ernte verdorrt auf den Feldern und in den Obstgärten, die Tiere sind unfruchtbar, Kinder werden krank, und ungeborene Babys sterben im Mutterleib, während die Götter allen Gebeten gegenüber taub bleiben. Iokastes Bruder Kreon kehrt aus Delphi, wo er das Orakel nach den Ursachen des Unheils befragt hatte, mit der Nachricht zurück, die Plage werde erst aufhören, wenn Laios' Mörder vor Gericht gestellt werde, der unbestraft in der Stadt lebe. Sofort und mit allem Nachdruck geht Ödipus daran, den Schuldigen ausfindig zu machen, und wendet sich dazu zunächst an den blinden Seher Teiresias. Dieser zögert, die Identität des Mörders preiszugeben, doch schließlich bringen ihn Ödipus' Andeutungen in Rage, er – Teiresias – müsse wohl selbst etwas mit dem Mord zu tun haben, weil er nichts sagen wolle. Er eröffnet ihm, daß Ödipus selbst der Missetäter ist, der das Unglück über die Stadt gebracht hat; weiter prophezeit er, Ödipus, der sich für so weise und weitsichtig halte, werde sich weigern, die Wahrheit seiner Worte anzuerkennen; wer er sei und was er getan habe, werde er nicht zugeben wollen.

Ödipus ist außer sich vor Wut und argwöhnt, daß sein Schwager Kreon sich mit Teiresias verschworen hat, um den Thron an sich zu reißen; Kreon vermag ihn nicht eines Besseren zu belehren. Iokaste, bemüht, die Wogen zu glätten, erklärt, es sei unmöglich, daß Ödipus Laios getötet habe, denn der einzige Zeuge habe einst

Ödipus und die Sphinx
Ödipus sitzt auf seinem Mantel und spricht gestikulierend zur Sphinx, die kerzengerade vor ihm auf einem Felsen hockt. Attische rotfigurige Hydria (Wasserkrug), um 380–360 v. Chr., aus der Sammlung von Sigmund Freud

berichtet, eine Räuberbande, nicht ein einzelner, habe den König an einer Wegkreuzung in Phokis erschlagen. Plötzlich erinnert sich Ödipus an das Zusammentreffen mit dem alten Mann in der Nähe von Delphi; während er sich Laios' Äußeres von Iokaste beschreiben läßt und sich nach der Anzahl seiner Begleiter erkundigt, wird ihm bewußt, daß es sich bei seinem Opfer um Laios gehandelt haben muß. Er vertraut sich Iokaste an, und diese schlägt vor, das Mitglied der königlichen Eskorte holen zu lassen, das damals als einziger Überlebender die Kunde vom Tod des Königs nach Theben gebracht hatte, und nochmals zu befragen. Dieser lebt jetzt als Hirte auf dem Land. Während man nach ihm schickt, trifft ein Bote aus Korinth mit der Nachricht ein, Polybos sei gestorben – eines natürlichen Todes, wie Ödipus erleichtert zur Kenntnis nimmt. Ödipus, das volle Ausmaß seines Verbrechens noch nicht ahnend, ist dankbar, weil sich zumindest ein Teil des Orakelspruches nicht erfüllt hat. Er beschließt, dennoch auf der Hut zu sein, damit er nicht noch seine Mutter heirate.

Als er dem Boten den Orakelspruch als Grund für sein langjähriges Fernbleiben von Korinth nennt, versichert dieser, bestrebt, des Königs Ängste zu zerstreuen, Polybos und seine Frau seien nicht seine leiblichen Eltern gewesen; ihm, dem Boten, selbst sei Ödipus als Säugling von einem Schafhirten des Laios auf dem Berg Kithairon anvertraut worden, und er habe ihn zu Polybos gebracht. Auch jetzt erkennt Ödipus die wahren Zusammenhänge noch nicht, und während die entsetzte Iokaste vergebens versucht, ihn zu einer Einstellung seiner Nachforschungen zu bewegen, beharrt er darauf, dem Geheimnis auf den Grund zu gehen, und verlangt, daß Laios' Schafhirte, nun ein alter Mann, herbeigeschafft werde. Durch eine List des Schicksals ist dieser Mann gleichzeitig auch der einzige überlebende Zeuge des Mordes an Laios. Als er schließlich erscheint, wird Ödipus endlich die ganze Furchtbarkeit der Situation bewußt; der Mann gesteht, daß er Laios' Sohn genommen und ihn aus Mitleid dem Schäfer des Polybos gegeben habe, anstatt ihn dem sicheren Tod auszuliefern. Dieses Kind war Ödipus, der zum Nachfolger seines Vaters auf dem Thron und im Ehebett geworden war.

Iokaste wartet das Ende des Berichts nicht ab, sondern enteilt in den Palast; als Ödipus, sich offenbar mit Mordabsichten tragend, ihr folgt, findet er sie dort erhängt. Er reißt ihr die goldenen Spangen vom Kleid und stößt sie sich immer wieder in die Augen, bis ihm das Blut in Strömen über das Antlitz fließt. Wie kann er es ertragen, die Welt zu sehen, nun, da er die Wahrheit erkannt hat? Dem Chor in Sophokles' Tragödie bleibt es überlassen, auf die Moral der Geschichte zu verweisen: Wie sicher sich ein Mensch auch fühlen, wie reich, wie mächtig und nach außen hin glücklich er erscheinen mag, keiner kann wissen, in welch »große Brandung ungeheuren Schicksals« er noch geraten mag.

Drum blicke man auf jenen Tag, der zuletzt erscheint,
Und preise keinen, der da sterblich, selig, eh er denn
Zum Ziel des Lebens durchgedrungen, ohne daß er Schmerz erlitt.

(*König Ödipus*, V. 1527–30)

Zwar hatte Ödipus Kreon darum gebeten, sofort in die Verbannung geschickt zu werden, doch durfte er Theben erst Jahre später verlassen, nachdem diese Form der Bestrafung von einem Orakel gutgeheißen worden war. Als er dann endlich fortgeschickt werden sollte, war er nicht mehr so darauf erpicht, zu gehen. Er war nun ein alter, blinder Mann und dazu verdammt, geführt von seinen Töchtern Antigone und Ismene, von Ort zu Ort zu ziehen und um Nahrung und Unterkunft zu betteln. Während seine Töchter ihm Trost und sogar Augenblicke des Glücks gaben, entfremdeten sich seine Söhne, Polyneikes und Eteokles, zunehmend von ihm, von ihrem Onkel Kreon und auch voneinander. Es war vereinbart worden, daß sie alljährlich abwechselnd die Herrschaft ausübten, doch als Eteokles' erstes Jahr vorüber war, weigerte er sich, den Thron seinem Bruder zu übergeben. Polyneikes begab sich nach Argos, wo er eine Gruppe von sechs Kriegern um sich sammelte, mit denen er seine Heimatstadt belagern wollte. Dies ist der Stand der Dinge am Beginn von Sophokles' *Ödipus in Kolonos*, als Ödipus an seinem Lebensabend die Olivenhaine von Kolonos, einer Vorstadt Athens, erreicht.

Gestützt von Antigone, sucht Ödipus Zuflucht an einem Altar, um auf die Ankunft von Theseus, des Königs von Athen, zu warten, als Ismene mit Nachrichten aus Theben zu ihnen stößt. Die Auseinandersetzung der beiden Brüder wird mit jedem Tag hitziger, und ein Orakel verkündet, die Seite, die Ödipus für sich gewinne, werde als Sieger aus dem Konflikt hervorgehen. Ödipus, gleichermaßen verärgert über Kreon und seine beiden Söhne, erklärt unnachgiebig, daß er keine Seite unterstützen werde; sie sollten die Sache allein ausfechten, und er hoffe, daß sie sich dabei gegenseitig umbringen würden. Als Theseus eintrifft, bittet Ödipus den athenischen König um die Erlaubnis, seine alten Tage in Athen verbringen zu dürfen. Theseus gewährt Ödipus diesen Wunsch gern und bietet ihm sogar an, ihn irgendwo unterzubringen, wo er es bequemer habe; doch Ödipus möchte bleiben, wo er ist. Dann erscheint Kreon; er ist entschlossen, Ödipus dazu zu überreden, mit ihm zurückzukehren, allerdings nicht nach Theben, sondern nur bis vor die Stadtgrenze; damit will er verhindern, daß die Stadt durch Ödipus' Anwesenheit erneut Unheil auf sich ziehe, hofft aber gleichzeitig, ein Aufenthalt seines Schwagers in unmittelbarer Nähe werde ausreichen, um seine Partei zu schützen. Als Ödipus Kreons vorgetäuschte Freundschaft verächtlich zurückweist und sein Angebot rundweg ablehnt, gerät Kreon in Wut und droht, Ödipus gewaltsam mit sich zu nehmen; Ismene hat er bereits ergreifen lassen, und nun zerren seine Soldaten auch Antigone von der Seite ihres hilflosen Vaters.

Theseus kehrt gerade rechtzeitig zurück, um zu verhindern, daß Ödipus vom Altar weggeschleppt wird. Er tadelt Kreons Vorgehen scharf und verspricht Ödipus, daß er ihm seine Töchter zurückgeben werde; Kreon befiehlt er, nach Theben zurückzukehren. Nun kommt Polyneikes, der bei der Verbannung seines Vaters aus Theben mitgewirkt hatte, sich jetzt aber ebenfalls aus politischen Gründen des väterlichen Schutzes versichern will. Auch er muß unverrichteter Dinge den Heimweg antreten, da Ödipus verkündet, bis zu seinem Tod in Kolonos bleiben zu wollen. Das Stück endet tragisch: Nachdem sich Ödipus in den heiligen Hain zurückgezogen hat, tritt ein Bote auf, um über Ödipus' wunderbares Ende zu berichten, dem als einziger Zeuge Theseus beiwohnte. Ödipus, so heißt es, habe den Segen, den er Kreon oder Polyneikes verweigert hatte, Athen gegeben, das künftig durch seine Gegenwart geschützt sein werde.

Der Angriff des Polyneikes und seiner Verbündeten auf Theben ist Gegenstand von Aischylos' Tragödie *Sieben gegen Theben*. Sieben Krieger führen einen Angriff auf die sieben Tore von Theben, die Eteokles von seinen besten Männern verteidigen läßt. Er selbst übernimmt die Verteidigung des Tores, das sein Bruder bedroht. Zwar gelingt es den Thebanern, den Angriff auf ihre Stadt zurückzuschlagen, doch die beiden Brüder töten sich gegenseitig. So erfüllt sich ihres Vaters Fluch, setzt sich die unglückliche Geschichte des Hauses Ödipus fort.

Die dramatische Handlung von Sophokles' *Antigone* setzt an diesem Punkt ein. Nach dem Tod der männlichen Nachkommen des Ödipus übernimmt Kreon die Herrschaft über Theben. Er ordnet an, daß Eteokles mit allen Ehren bestattet, der Verräter Polyneikes dagegen dort liegen gelassen werde, wo er gefallen war, und den Hunden und Raubvögeln zum Fraß diene. Kreon läßt die Leiche bewachen, um sicherzugehen, daß seine Anordnung befolgt werde. Schon bald kehren seine Soldaten mit Antigone zurück, die dabei ertappt wurde, wie sie in dem Bemühen, ihren Bruder wenigstens symbolisch zu bestatten, mit den Händen Erde auf dessen zerfleischten Leichnam warf. Von Kreon aufgefordert, zu ihrem Ungehorsam Stellung zu nehmen, erklärt sie unerschrocken, daß die Gesetze der Götter, die die Bestattung von Verwandten vorschreiben, unumstößlich und unabänderlich seien und Vorrang hätten vor den Gesetzen der Menschen. In seiner *Antigone* verwendet Sophokles den Mythos, um diesen Konflikt zwischen menschlichem und göttlichem Gesetz zu untersuchen: Wie hat sich der gewöhnliche Mensch zu verhalten, wenn »Gottgebote« und »sterblicher Befehl« (453f.) kollidieren? Obwohl letztlich die Antwort ganz offenbar lautet, daß dem göttlichen Gesetz um jeden Preis Folge zu leisten sei, stellt sich die Lösung keineswegs von Anfang klar umrissen dar. Während Antigone als eigensinnige, unweibliche Frau dargestellt wird, die sich nicht damit zufrieden gibt, im häuslichen Bereich, dem traditionellen »Reich« der Frau, zu wirken, sondern es wagt, sich über die Gesetze ihres männlichen Vormunds hinwegzusetzen, erscheint Kreon zunächst als ein Mann, der sich nach besten Kräften bemüht, seine Stadt nach Recht und Gesetz zu regieren.

Als Antigone keine Reue für ihr Verbrechen zeigt, ist es für Kreon beschlossene Sache, daß sie sterben muß. Haimon, Kreons jüngster Sohn und Antigones Verlobter, fleht den Vater an, seine Braut zu verschonen; er verweist darauf, daß ihre Bestrafung nicht nur unmenschlich, sondern auch politisch unklug sei, da Antigone auf dem besten Weg sei, für die Bewohner von Theben zur Heldin zu werden:

Auch für den Klugen ist doch keine Schande,
Statt sich zu übernehmen, viel zu lernen,
Du siehst am winterlich geschwollnen Strom
Den Baum, der nachgibt, seine Zweige retten,
Was widersteht, reißt's mit den Wurzeln fort.
Und wenn der Steuermann das Segeltau
Nur immer strafft und gar nicht lockern mag,
Der kentert bald und fährt kieloben weiter.
Drum beuge dich und wandle deinen Sinn!

(*Antigone*, V. 710–719;
Übersetzung von Wilhelm Kuchenmüller)

Kreon bleibt jedoch unnachgiebig und gibt Anweisung für eine grausame Art der Hinrichtung, die ihn von der direkten Verantwortung für Antigones Tod freisprechen soll: Er befiehlt, sie lebend in ein Felsengrab einzusperren. Erst als der Seher Teiresias ihn aufsucht und ihm vom Zorn der Götter und der entsetzlichen Bestrafung berichtet, die den König treffen würden, sollte er sich nicht erweichen lassen, hört Kreon doch noch auf den Rat des Chors und macht sich auf den Weg, Antigone aus ihrem Gefängnis zu befreien. Unterwegs hält er an, um die sterblichen Überreste des Polyneikes zu bestatten. Dies erweist sich im nachhinein als Fehler; denn als er die Gruft erreicht, findet er dort Haimon, der

Antigones Leichnam umklammert hält: seine Braut hat sich mit ihrem Schleier erhängt. Dann stürzt sich Haimon in sein Schwert. Kreon kehrt nach Hause zurück und erfährt dort, daß auch seine Gemahlin Eurydike Selbstmord begangen und ihren Gatten mit dem letzten Atemzug noch verflucht hat. Völlig niedergeschmettert von der Tragödie, die ihn so unerwartet getroffen hat, wird Kreon fortgeführt, und dem Chor bleibt nur mehr die Erkenntnis kundzutun, daß Besinnung, gepaart mit gebührender Ehrfurcht vor den Göttern, »allen Segens Anfang« darstelle.

Das schöpferische Erbe

Im Athen des fünften vorchristlichen Jahrhunderts hätten sich wohl kaum Käufer für ein Mythen-Buch gefunden, da die Griechen ihre Mythen nicht in einen abgesonderten Lebensbereich verbannten. Die Personen und Ereignisse der Mythologie waren vielmehr in der griechischen Gesellschaft verwurzelt und bei allen Handlungen des gemeinsamen täglichen Lebens von der Wiege bis zur Bahre präsent. Zu fragen, ob der durchschnittliche Athener des 5. Jahrhunderts alle diese Geschichten »glaubte«, ist wahrscheinlich anachronistisch. Geht es darum, zu klären, ob sie als geschichtliche Tatsache akzeptiert wurden, muß die Frage im Rahmen der umfassenderen Diskussion über das Geschichtsbild der Griechen erörtert werden, während sich bei einer Gleichsetzung von »Glauben« und »religiöser Überzeugung« ein ähnliches Definitionsproblem ergibt.

Die überlieferten Zeugnisse legen nahe, daß die Mythologie ein selbstverständlicher und akzeptierter Bestandteil des Lebens war, gleichzeitig wirksam auf verschiedenen Ebenen. Die Geschichten boten volkstümliche Unterhaltung, ihre Ausdruckskraft regte jene Leistung in Musik, Dichtung und den schönen Künsten an, für die die griechische Welt zu Recht berühmt ist. Gleichzeitig boten die Mythen einen unerschöpflichen Vorrat an Beispielen – Beispiele, die nicht nur äußerst dienlich waren, um junge Menschen darin zu unterweisen, was gut und was böse war, sondern auch Erwachsenen Stoff zum Nachdenken über das Wirken des Schicksals, den menschlichen Charakter und das Geheimnis des Lebens gaben. Darüber hinaus bildeten die komplexen Strukturen der

Mythologie, die Funktionen von und Wechselbeziehungen zwischen Göttern und Heroen sowie ihre Verknüpfung mit bestimmten Orten die Grundlage für das verschlungene Netz von Kulten, deren Beachtung für die griechische Sozialstruktur so wichtig war.

Alle Zivilisationen brauchen Mythen, und viele erfinden ihre eigenen. Da indes die griechische Zivilisation das Fundament der westlichen Gesellschaft bildet und dem Studium der griechischen Kultur in den Bildungssystemen der westlichen Welt bis in die jüngste Zeit eine so große Bedeutung zukam, haben viele westliche Gesellschaften griechische Mythen übernommen und gleichzeitig mit ihren eigenen zeitgenössischen oder historischen Sagen davon Gebrauch gemacht. Die Römer stehen am Anfang; sie nahmen nur sehr geringfügige Veränderungen am Pantheon vor, um einige wenige lokale Gottheiten darin unterzubringen, und griffen in ihrer Literatur und Kunst ständig auf griechische Mythen zurück. Für die Römer sowohl der Republik als auch des Kaiserreichs verkörperte Griechenland Kultur und Zivilisation; wer seinen Geschmack und seine Gelehrsamkeit demonstrieren wollte, schmückte die Wände seines Hauses mit Darstellungen griechischer Mythen, und wenn jemand starb, ließ er sich in einem Marmorsarg beisetzen, verziert mit Reliefs, die etwa die Schlachten der Griechen und Amazonen oder den Weingott Dionysos mit seinem Gefolge zeigten. Auch der Stoff der römischen Dichtung war im wesentlichen griechisch; viele griechische Mythen sind uns nur dank dem augusteischen Dichter Ovid überliefert, während sein Zeitgenosse Vergil die Ursprünge und Entwicklung Roms in seinem Epos *Aeneis* legitimierte und glorifizierte, das mit der Eroberung Trojas, dem größten aller griechischen Mythen, beginnt.

Die Ausbreitung des Christentums konnte die Popularität mythischer Gestalten und Geschichten und ihre fortwährende Wiederkehr in Kunst, Musik und Literatur nicht beeinträchtigen. Bei der Wiederentdeckung der klassischen Antike in der Renaissance war es vor allem die Dichtung Ovids, die die Phantasie von Dichtern und Künstlern beflügelte. Seine Werke gehörten zu den ersten klassischen Texten, die von der Verbreitung der Buchdruckerkunst in der zweiten Hälfte des 15. Jahrhunderts profitierten; sie wurden häufig und begeistert übersetzt und beeinflußten Verbreitung und Rezeption der griechischen Mythen während der folgenden Jahrhunderte nachhaltig. Bereits von den ersten Jahren der Renaissance an gestalteten Künstler gern die heidnischen Stoffe der griechischen Mythologie gleichzeitig mit den herkömmlichen christlichen Themen. So finden wir heute in den Uffizien zu Florenz Botticellis »Geburt der Venus« oder »Pallas und der Kentaur« Seite an Seite mit den Verkündigungen Mariae und den Madonnen des gleichen Künstlers. Italien, und insbesondere Rom, wurde von der Frührenaissance bis weit ins 18. Jahrhundert hinein ein bedeutendes Zentrum für die an der klassischen Vergangenheit interessierten Künstler. Künstler aller Nationalitäten besuchten Italien, darunter etwa, im 17. Jahrhundert, die Franzosen Nicolas Poussin und Claude Lorrain; sie fanden in der klassischen Welt nicht weniger Inspiration als in der christlichen, und in Rom verschmolzen die beiden Traditionen auf glückliche Weise.

In Mittel- und Nordeuropa erlangte – von Rubens einmal abgesehen – die klassische Mythologie nicht ganz dieselbe Bedeutung für die bildenden Künste wie in den romanischen Ländern, in der Literatur dagegen war ihr Einfluß ebenso unübersehbar: Im Elisabethanischen England etwa wurden klassische lateinische und griechische Texte mit Begeisterung übersetzt, so daß die Mythen den zeitgenössischen Dichtern mühelos zugänglich waren. Auch im Frankreich des 17. Jahrhunderts erlangte die griechische Tragödie zeitgenössische Bedeutung durch die Werke von Meistern wie Corneille und Racine, die den antiken Mythen – etwa den Geschichten von Phaidra, Andromache, Ödipus und Iphigenie, neue Einsichten und Formen abgewannen.

Das 18. Jahrhundert erlebte die Ausbreitung der philosophischen Revolution der Aufklärung in ganz Europa. Sie war begleitet von einer gewissen Geringschätzung der griechischen Mythologie. In diesem Zeitalter der Vernunft, in dem die oft phantastisch anmutenden, verstandesmäßig nicht nachvollziehbaren und durch Fakten nicht verifizierbaren Vorkommnisse verächtlich abgetan wurden, war man eher dazu geneigt, sich mit den wissenschaftlichen und philosophischen Errungenschaften Griechenlands und Roms zu beschäftigen; typisch für diese Haltung ist z. B. Jacques-Louis Davids Gemälde »Tod des Sokrates«. Allerdings blieben die Mythen auch weiterhin eine wichtige Inspirationsquelle für Dichter und Dramatiker, so vor allem auch für die Verfasser von Opernlibretti; man denke nur an die der Händel-Opern *Admeto* und *Semele*, Mozarts *Idomeneo* und Glucks *Alceste*, *Orpheus und Eurydike*, *Iphigenie in Aulis* oder *Paris und Helena*, um nur die heute noch meistgespielten zu nennen. Die Stoffe waren jedenfalls auf allen Opernbühnen Europas präsent.

Während im Deutschland des 18. Jahrhunderts mit den Arbeiten Winckelmanns und Lessings der Boden für eine vertiefte Rezeption der griechischen Kunst und Literatur, also auch der Mythen bereitet wurde, fand die deutsche Klassik ihre eigenen Antworten, exemplarisch in bedeutenden Werken Goethes und Hölderlins dokumentiert. Dies ist auch die Zeit der klassischen Übersetzungen, vor allem Homers, von Johann Heinrich Voß.

Mit der Romantik setzte dann eine regelrechte Griechenland-Begeisterung ein, die sich allenthalben in der klassizistischen Architektur Europas widerspiegelt, in England z. B. James (›the Athenian‹) Stuart und Nicholas Revett, in Deutschland Friedrich Schinkel und Leo von Klenze.

In Großbritannien zumindest erreichte die Popularität griechischer Mythen ihren Höhepunkt im 19. Jahrhundert. Es war eine hervorragende Zeit für Neuübersetzungen griechischer Tragödien und der Werke Homers, und diese wiederum inspirierten zeitgenössiche Dichter wie Keats, Byron und Shelley. Die Griechenliebe von Königin Viktorias Hofdichter Alfred Lord Tennyson war derart ausgeprägt, daß selbst seine Schilderungen des typisch englischen Hofes von König Artus mit Nachklängen aus den Homerischen Epen durchsetzt sind. Mehrere seiner Gedichte wurden unmittelbar von der klassischen Mythologie inspiriert, so seine »Lotosesser« – eine zutiefst romantische Vision, exotisch und äußerst deprimierend zugleich, einer kurzen Episode in der *Odyssee*; sein Odysseus (in *Ulysses*) ist eine sonderbare Mischung aus griechischem Helden und rastlosem viktorianischem Gentleman.

Die beschauliche Sicht der griechischen Kultur und Literatur schwand im Ersten Weltkrieg dahin. Viele der jungen Engländer etwa, die auf Kriegsschiffen durch die Dardanellen fuhren, um in Gallipoli zu sterben, sahen sich selbst als Reinkarnation der griechischen Heroen, die in Troja kämpften und starben – oder wurden von ihren Freunden als solche betrachtet. Doch schließlich zerstörte der Krieg diese Illusion. Ein Überlebender, Ronald Knox, schrieb später:

> »Der große Gott Pan ist tot, und auch die Welt, deren Symbol er ist; wir können sie nie mehr einfangen. Und das wurde mir bewußt, als ich den Hellespont sah. Er erinnerte mich nicht an das Schiff *Argo*, und auch nicht an Trojas schmerzlichen Todeskampf ... Statt dessen war er für mich von jenen bevölkert, die dort vor fünfzehn Jahren gekämpft haben und gestorben sind, Männer meines eigenen Landes und meiner eigenen Sprache.«

Das Interesse Westeuropas an griechischer Mythologie ging 1918 indes nicht verloren. Ein besonders faszinierendes Beispiel für ein geradezu leidenschaftliches Interesse an ihr ist Sigmund Freud, der Vater der Psychoanalyse. Neben anderen Aspekten der klassischen Vergangenheit waren die griechischen Mythen enorm wichtig für ihn; denn er erkannte, daß sie universale menschliche Themen gestalteten. Er sah in ihnen sowohl Vorwegnahme als auch Bestätigung seiner Theorien, und seine Schriften sind voller Anspielungen auf die Mythen. So verglich er z. B. seine Technik, wie er angeblich unauslöschliche, unbewußte Wünsche seiner Patienten herausbekommen könne, mit der Art und Weise, wie Odysseus die Seelen der Verstorbenen in der Unterwelt zum Sprechen brachte, indem er sie Opferblut trinken ließ. Es war Freud, der Ödipus dadurch zu einem festen Begriff machte, daß er einen Komplex nach ihm benannte: bei einer Mehrzahl von Jungen behauptete er die Neigung festgestellt zu haben, sich unsterblich in ihre Mütter zu verlieben und folglich äußerst eifersüchtig auf ihre eigenen Väter zu werden. Freud war davon überzeugt, daß dies bei ihm so gewesen war, und auch in anderer Hinsicht identifizier-

Die gefangene Andromache. Gemälde von Frederic Leighton (um 1888). Die Gemahlin Hektors wurde mit dem Fall Trojas zur Sklaverei verdammt; hier steht sie, verlassen und tragisch, am Brunnen

te er sich mit Ödipus, dem Rätsellöser. Er war ein leidenschaftlicher Sammler griechischer, römischer und ägyptischer Kunst, und seine Freunde und Patienten ließen sich anscheinend keine Gelegenheit entgehen, ihm alle möglichen Darstellungen des Ödipus oder der Sphinx zu schenken. Zu seinem fünfzigsten Geburtstag überraschten ihn seine Kollegen mit einem Medaillon, das auf der einen Seite Freuds Porträt zeigte, auf der anderen Ödipus und die

Sphinx mit einem Vers aus Sophokles' *König Ödipus*: »der die berühmten Rätsel löste, mächtig wie kein zweiter«.
Mag die Skizze des Fortlebens des griechischen Mythos in den vergangenen Jahrhunderten schon überaus fragmentarisch geraten sein, so scheint eine Darstellung der Mythenrezeption im 20. Jahrhundert auf so begrenztem Raum ganz unmöglich. Eine bloße Aufzählung von Folgewerken bliebe zudem höchst unbefriedi-

Elektra am Grab des Agamemnon. Gemälde von Frederic Leighton (um 1869). Die Verzweiflung und der Kummer, die in Elektras Haltung am Grab ihres Vaters zum Ausdruck kommen, werden durch ihre dunkle Kleidung noch unterstrichen

gend, wenn man nicht wenigstens ansatzweise zu beschreiben versuchte, was aus den griechischen Sagen in den Werken der Literatur und des Theaters, der Musik und der bildenden Kunst sowie des Films unseres Jahrhunderts geworden ist. Stellvertretend sei nur auf einige moderne Klassiker hingewiesen:

1922 veröffentlichte James Joyce seinen Roman *Ulysses*, der Odysseus' zehnjährige Heimreise nach Ithaka auf einen Tag im Leben eines irischen Juden in Dublin komprimiert; Aiolos, der Herr der Winde, wird hier zum Zeitungsherausgeber, der die Richtung der öffentlichen Meinung kontrolliert, die Sirenen sind zwei Barmädchen, und Circe, die Männer in Schweine verwandelte, ist eine Bordellbesitzerin. An Theaterstücken seien lediglich erwähnt: Giraudoux' *Der Trojanische Krieg findet nicht statt* (1935), ein radikalwitziges Antikriegsstück, und Anouilhs *Antigone*-Version (1944), die Übertragung des Konflikts zwischen dem Gewissen einer einzelnen Frau und dem Gesetz des Staates auf zeitgenössische politische Verhältnisse, Sartres *Fliegen* (1943) und O'Neills *Trauer muß Elektra tragen* (1930; beides Adaptionen, wenn auch ganz unterschiedlicher Art, des Atriden-Mythos). Albert Camus' *Mythos von Sisyphos* (1942) hat das Denken einer Epoche entscheidend geprägt.

Im Bereich der Musik sei verwiesen auf Richard Strauss' und Hugo von Hofmannsthals Opern *Elektra* (1909) und *Ariadne auf Naxos* (1916), auf Strauss' *Daphne* (1938) und *Die Liebe der Danae* (1952), auf Igor Strawinsky mit seinen Balletten *Apollon Musagète* (1928) und *Orpheus* (1948) sowie dem Oratorium *Oedipus Rex* (1927), auf Hans Werner Henzes Oper *Die Bassariden* (1966; nach Euripides' *Bacchantinnen*-Tragödie) und sein *Orpheus*-Ballett (1979). »Picasso und die Antike« ist ein ausstellungsfüllendes Thema der Kunstgeschichte des 20. Jahrhunderts, dem andere Maler und bildende Künstler gleichrangig an die Seite zu stellen wären. Das Medium des Films hat aus den griechischen Mythen geschöpft, wo immer es konnte: alle Supermänner gehen letztlich auf Herakles zurück, und Odysseen finden heute vorwiegend im Weltraum statt, Arbeiten wie Cocteaus *Orphée* oder Pasolinis *Ödipus*- und *Medea*-Verfilmungen sind künstlerisch bedeutsam.

Terrakotta-Sphinx
Sie stammt aus der Antikensammlung Sigmund Freuds, der von der Ödipus-Legende fasziniert war. Griechisch, aus Süditalien, um 400 v. Chr.

Literaturhinweise

(Von Kai Brodersen)

Der direkteste und auch vergnüglichste Weg, griechische Mythen kennenzulernen, ist, sie so zu lesen, wie die Griechen und Römer selbst sie erzählten. Griechische und lateinische Literatur ist in modernen zweisprachigen Ausgaben und Übersetzungen erhältlich. Die *Mythologische Bibliothek* des Artemidoros liegt auf der Grundlage der 2010 publizierten kritischen Neuausgabe in einer neuen Übersetzung unter dem Titel *Götter und Helden der Griechen* in der Bibliothek der Antike (Darmstadt 2012) vor, das kleine Werk des Palaiphatos unter dem Titel *Die Wahrheit über die griechischen Mythen* in Reclams Universal-Bibliothek (Nr. 18200; 2. Aufl., Stuttgart 2003). In derselben Reihe sind u.a. Homers *Ilias* und *Odyssee*, die griechischen Tragödien sowie Vergils *Aeneis* und Ovids *Metamorphosen* erhältlich.

Aus der Vielzahl handlicher Lexika zur griechischen Mythologie seien drei hervorgehoben: Als besonders hilfreich gilt *Reclams Lexikon der antiken Mythologie* von E. Tripp (8. Aufl., Stuttgart 2012), das unter rund 2200 Stichworten anschaulich Informationen zu allen Bereichen der Mythologie vermittelt. Ein *Kleines Lexikon mythologischer Figuren der Antike* haben K. Brodersen und B. Zimmermann in der Basisbibliothek Antike (Stuttgart 2015) vorgelegt. Das *Lexikon der griechischen und römischen Mythologie* von Ch. Harrauer und H. Hunger (9. Aufl., Wien 2006) hilft besonders in Fragen der Rezeptionsgeschichte weiter.

Zwei große Enzyklopädien erschließen den wissenschaftlichen Stand ihrer Zeit: W. H. Roscher gab ein *Ausführliches Lexikon der griechischen und römischen Mythologie* (6 teils in zwei geteilte Bände, Leipzig 1886–1937) heraus. Insgesamt 20 Bände (8 Doppelbände Enzyklopädie und je ein Doppelband Register und Supplement) umfasst das *Lexicon Iconographicum Mythologiae Classicae* (Zürich/München bzw. Düsseldorf 1981–2009), das fast alle Belege und künstlerischen Darstellungen der Gestalten der griechischen und römischen Mythologie erschließt.

Generationen geprägt hat die Nach- und Neuerzählung der Mythen von Gustav Schwab, *Sagen des klassischen Altertums* (1838–1840), eine Auswahl ist unter dem Titel *Die schönsten Sagen des klassischen Altertums* 2016 bei Reclam erschienen.

Die Abbildungen sind, mit Ausnahme der nachfolgend genannten, sämtlich der englischen Originalausgabe entnommen, in der sich auch die entsprechenden Nachweise finden.
Abb. S. 67: New York, The Metropolitan Museum of Art, Rogers Fund, 1903 (Foto: Museum). – Abb. S. 68: Ch. Dugas, *Les Vases de l'Héraion*, Paris

Register

Achilleus 18f., 55, 60–73, 93f., 102
Admetos 39f., 116
Aeneas 77
Agamemnon 58f., 61–63, 66, 78–80, 93, 130
Agauë 132, 135
Agenor 131
Aias 61
Aietes 115, 119f., 132
Aigeus 43, 46–48, 50
Aigisthos 78–80
Aiolos 88f., 103, 153
Aischylos 80, 131, 142
Aison 115
Aithra 43
Akrisios 125f., 130
Aktaion 132
Alkestis 39f.
Alkinoos 100–103
Alkmene 27f.
Amazonen 34, 146
Amphiaraos 116
Amphitryon 27f.
Amykos 118
Anchises 77
Andromache 147, 150
Andromeda 127, 129f.
Anouilh, Jean 153
Antaios 39
Antigone 137, 140–143, 153
Antinoos 112
Antiope 50
Aphrodite 21–24, 26, 55, 57f., 77, 103, 132
Apollodor 125, 127
Apollon 19, 22, 24f., 39, 65, 80f.
Apollonios Rhodios 116
Apsyrtos 120
Ares 21, 23–26, 59, 71, 103, 115, 132
Arete 102
Argo 116–122, 149
Argonauten 116, 118, 120f.
Argos (Hund des Odysseus) 108
Argos (Schiffbauer) 116
Ariadne 16, 49f., 153
Artemis 22, 24, 32, 61, 132
Athene 21–23, 30, 46, 55, 57, 74f., 80f., 99f., 102–104, 106–108, 113f., 118f., 127, 130, 132f.
Atlas 37
Atreus 78, 80
Augias, Ställe des 32
Autolykos 109, 166
Autonoë 132

Bebryker 118
Beroë 132
Botticelli, Sandro 147
Briseïs 62f.
Busiris 39f.
Byron, Lord 148

Camus, Albert 153
Charybdis 94f., 103, 121
Chryseïs 62
Chryses 62
Circe 90–92, 94f., 98, 153
Cocteau, Jean 153
Corneille, Pierre 147
Creusa 77

Daidalos 47
Danaë 125f., 130, 153

David, Jacques-Louis 148
Deianeira 41f.
Deïdameia 60
Demeter 11–15, 20, 22
Demodokos 102f.
Demophon 12
Diktys 125, 130
Diomedes 61, 63f.
Diomedes, Stuten des 32, 35
Dione 21
Dionysos 16, 22, *25*, 49, 132, 134f., 146
Dioskuren (Kastor und Polydeukes) 122
Dolionen 118
Dolon 63

Eileithyia 21
Elektra 80, 152, 153
Elpenor 92–94
Eos 72
Epeios 74
Eris 55
Erymanthischer Eber 30
Eteokles 137, 140, 142
Eumaios 106–108, 111–113
Euphorbos 65
Euripides 131, 134
Europa 131
Eurydike 144, 148
Eurykleia 109f., 113f.
Eurylochos 90
Eurymachos 112
Eurystheus 27, 29–32, 36f.
Eurytion 35

Freud, Sigmund 149f.

Ge 11, 19, 37, 39
Geryon, Rinder des 35f.
Giraudoux, Jean 153
Glauke 122
Gluck, Christoph Willibald 148
Goethe, Johann Wolfgang 148
Goldenes Vlies 115f., 119–121
Gorgonen 126f.
Graiai 127

Hades 11, 13, 20, 36, 50
Händel, Georg Friedrich 148
Haimon 143f.
Harmonia 132
Harpyien 118
Hebe 21
Hekate 11
Hektor 64–72, 77
Hekuba 55
Helena 18, 50, 58, 76, 106, 148
Helios 12, 24f.
Helios, Rinder des 93, 98, 103
Helle 115
Henze, Hans Werner 153
Hephaistos 21–26, 32, 66f., 119, 121
Hera 20f., 27, 30, 34, 37, 55, 57, 116, 122, 132
Herakles 18, 27–44, 46, 50, 54, 94, 116, 118, 121, 153
Hermes 13, 22, 25f., 36, 55, 69, 90, 99, 127f., 130
Hermione 58
Hesiod 17
Hesperiden 36–39, 121
Hestia 20
Hölderlin, Friedrich 148
Hölzernes Pferd 74, 76, 103
Hofmannsthal, Hugo von 154
Homer 11–13, 16f., 23, 54, 78, 148
Hylas 118
Hyllos 42

Iason 115f., 119–123
Ino 100, 115, 132
Iokaste 135–137, 139f.
Iolaos 30
Iphigenie 61, 80, 147f.
Iphikles 27
Iris 69
Iros 108
Ismene 137, 140f.

Joyce, James 153

Kadmos 119, 131–133, 135
Kalaïs 116, 119
Kalchas 60–62
Kalypso 99, 102, 106
Kapidagi 118
Kassandra 74
Kassiopeia 127
Kastor 116
Keats, John 148
Keleos 12

Kentauren 17, 50
Kepheus 129
Kerberos 35–37
Kerkyon 46
Kerynitische Hirschkuh 30
Kikonen 83, 103
Kleisthenes 52
Klenze, Leo von 148
Klytaimnestra 63, 78–80, 93
Knox, Roland 149
Kreon 136f., 140–144
Kretischer Stier 32
Krommyonische Sau 45
Kronos 19–21

Laërtes 93, 105, 116
Laios 135–137, 139
Laistrygonen 89f., 103
Laokoon 75
Leda 58
Leighton, Frederic 150, 152
Lernäische Hydra 30
Lessing, Gotthold Ephraim 148
Leto 22
Lorrain, Claude 147
Lotosesser 83
Lykomedes 50, 60

Maia 22
Marathon, Stier von 46f.
Medea 46f., 116, 119–122, 153
Medos 46
Medusa 127–129
Megapenthes 130
Melantheus 107
Meleager 116
Memnon 72
Menelaos 58, 106
Menestheus 51
Metis 21f.
Minos 47, 49, 121
Minotauros 47–49
Mozart, Wolfgang Amadeus 148
Myrmidonen 64

Nausikaa 100–102
Nemeischer Löwe 30
Neoptolemos 60, 74, 77, 94
Nereïden 127
Nereus 39
Nessos 41
Nestor 106
Nostoi 77

Odysseus 40, 60f., 63f., 74, 76, 78, 83–114, 149
Ödipus 19, 135–142, 147, 149f., 153
O'Neill, Eugene 153
Orest 16, 80f.
Orpheus 116, 148, 153
Orthos 35
Ovid 131, 146

Palamedes 60
Pallas 43, 47
Paris 55, 57f., 72, 148
Pasiphaë 47
Pasolini, Pier Paolo 153
Patroklos 64–66, 68f., 71
Peirithoos 50
Peleus 55f., 60, 116, 122
Pelias 115f., 121f.
Penelope 83, 93, 104f., 107–114
Penthesileia 72f.
Pentheus 131, 134f.
Periphetes 44
Persephone 11–16, 22, 50, 92
Perseus 125–130
Phaiaken 99f., 102f.
Phaidra 147
Philoitios 111, 113
Philoktetes 42
Phineus (König von Salmydessos) 118f.
Phineus (Bruder des Kepheus) 129
Phrixos 113
Picasso, Pablo 153
Pittheus 43f.
Plutarch 50f.
Polybos 135f., 139
Polydektes 125f., 130
Polydeukes 116, 118
Polydoros 132
Polyneikes 137, 140–143
Polyphem 83–88, 90, 99
Poseidon 20, 25f., 43, 47, 55, 59, 75, 84, 99, 115, 127
Poussin, Nicolas 147
Priamos 55, 64, 69f., 72, 77
Prokrustes 46

Prometheus 54f.
Proteus 106
Pylades 80

Quintus Smyrnaeus 72

Racine, Jean 147
Revett, Nicholas 148
Rhea 19f.
Rhesos 64
Rubens, Peter Paul 147

Sartre, Jean-Paul 153
Schinkel, Friedrich 148
Schliemann, Heinrich 53
Semele 22, 132, 134
Shelley, Percy Bysshe 148
Sinis 44
Sinon 74, 76f.
Sirenen 94–96, 103, 121, 153
Sisyphos 94, 153
Skeiron 45f.
Skylla 94f., 97f., 103, 121
Sophokles 131, 137, 140, 142, 151
Sphinx, 135–138, 150f.
Strauss, Richard 153
Strawinsky, Igor 153
Stuart, James 148
Stymphalische Vögel 32f.

Talos 121
Tantalos 94
Teiresias 92f., 98, 137, 143
Telemach 60, 83, 104–113
Telephos 17
Tennyson, Alfred Lord 148
Thanatos 40
Theophane 115
Theseus 32, 43–52, 141f.
Thetis 18, 54–56, 60, 66f., 72
Thyestes 78
Tiphys 116
Triptolemos 14
Triton 39, 121
Tyndareus 58

Uranos 19, 21

Vergil 72, 146
Voß, Johann Heinrich 148

Winckelmann, Johann Joachim 148

Zetes 116, 119
Zeus 11–13, 17–23, 27, 30, 37, 39, 54f., 58–61, 65, 81, 88, 99, 115, 125, 131f., 134
Zyklopen 83–85